KB080986

4 주완성 왕초보 히브리어 성경읽기

허동보 저

1st Week

수현북스

왕초보 원어성경읽기 홈페이지에서 저자 정보와 강의 정보를 참고하세요.

https://wcb.modoo.at

4주완성 왕초보 히브리어 성경읽기 – 1주차 히브리어 알파벳

발 행 | 2024년 7월 25일
저 자 | 허동보
기 획 | 수현교회 출판부
편집 · 디자인 | 허동보

발 행 인 | 허동보
발 행 처 | 수현북스
등록번호 | 2024.06.28 (제 2024-000094 호)
주 소 | 경기도 용인시 기흥구 공세로 150-29, B01-G444 호

ISBN | 979-11-988320-2-3
가 격 | 13,000원

* 본 도서는 허동보 목사의 '왕초보 히브리어 성경읽기' 강좌 교재로
이 책에 삽입된 성경구절은 개역한글과 Westminster Leningrad Codex를 사용하였습니다.
* 이 책에는 상업용 무료글꼴만이 사용되었으며, 사용된 글꼴은 다음과 같습니다.
- 한국어/영어: KoPup바탕체, KoPup돋움체, 세방고딕체
- 히브리어: Frank Ruhl Libre, Bellefair, Noto Sans Hebrew

목 차

제 1 장 서론

1. 히브리어를 배워야 하는 이유

많은 분으로부터 "한글 성경이 얼마나 잘 번역되어 있습니까? 그런데 이제는 사용하지도 않는 고대 언어인 히브리어와 헬라어를 굳이 배워야 하나요?"라는 질문을 곧잘 받게 됩니다. 바쁜 현대인들의 삶 속에 또 하나의 짐을 지운다는 것은 무척 마음이 아픈 일입니다. 영어 성경, 한글 성경, 그 외의 각 지역별로 번역된 성경들은 많은 이들이 연구하고 고민한 결과물입니다. 이제는 누구나 각국의 언어로 성경을 읽을 수 있는데, 왜 우리는 히브리어를 배워야 할까요?

첫째로 하나님을 사랑하는 마음 때문입니다.

제가 아는 분 중에 영화 해리포터를 무척 재미있게 본 사람이 있습니다. 그녀는 영화를 재미있게 보고는 해리포터에 빠져 소설을 읽게 되었습니다. 그리고 얼마 지나지 않아 영어 공부를 하고 있었습니다. 그녀의 해리포터에 대한 사랑은 결국 J.K. Rowling의 해리포터[Harry Potter] 영어 원전을 읽게 만들었습니다. 일반 소설조차 원전을 향한 열망은 누구나 가지게 됩니다. 팝스타를 좋아하는 사람은 그의 노랫말을 통해 영어공부를 하는 경우가 허다합니다. 하나님 말씀 역시 마찬가지입니다. 물론 히브리어와 헬라어가 하나님의 언어는 아닙니다. 그러나, 영어나 우리말보다는 분명 더욱 가까운 언어일 것입니다. 만약 성경이 처음에 우리말로 기록되었다면, 우리말이 하나님의 언어와 더욱 가까운 언어라 말할 수 있었겠지요. 하나님을 사랑하는 마음은 우리를 원전에 대한 열망으로 이끕니다.

둘째로 모든 언어는 1:1 번역이 어렵기 때문입니다.

일례로 חָכְמָה[호크마]라는 단어를 보면, 한글 성경에서는 대부분 지혜로만 한정시켜 번역하고 있습니다. 그러나 이 단어는 전문가적 기술, 현명함 등으로 해석될 수도 있는 단어입니다. 영어도 마찬가지입니다. ‘Guy’라는 단어는 보통 남자를 뜻하지만, 네이버 사전만 검색해봐도 단지 ‘남자’만을 뜻하는 것이 아니라 상황과 문맥에 따라 여러가지 의미로 사용된다는 걸 알 수 있습니다. 그런 세밀한 차이는 원어에 대한 이해가 있어야만 가능합니다. 적어도 어떤 단어인지 그 단어를 읽을 수 있어야 하고, 그 단어를 찾아볼 수는 있어야 합니다. 애초에 성경이 한글로 쓰였다면, 지금 이런 고민을 할 필요가 전혀 없겠지요.

셋째로 더욱 풍성한 신앙의 감동을 줄 수 있기 때문입니다.

신앙과 예배에 있어서 ‘감동’이라는 것은 자칫 하나님을 배제하는 위험한 상황을 야기하기도 합니다. 실제로 감동에 심취한 나머지 중언부언하거나 이해하지 못할 행동을 하는 상황은 성경 속 시대만이 아니라 초대교회와 중세를 포함하여 이 시대에서도 많이 볼 수 있습니다. 그러한 감동은 분명 우리 신앙에 해악을 끼치곤 합니다. 그러나 가을 하늘을 바라보며 하나님을 찬양할 수밖에 없는 경우가 있습니다. 깊은 묵상 속에서 자신에게 주어진 하나님의 은혜가 파노라마처럼 지나가며 감사와 찬양이 흘러나오는 경우도 있습니다.

가령 창세기 1장 1절을 보게 되면, “태초에 하나님이 천지를 창조하시니라”라고 번역되어 있습니다. 이 구절은 히브리어 성경으로 “בְּרֵאשִׁית[베레쉬트] בָּרָא[바라] אֱלֹהִים[엘로힘] אֵת[엣트] הַשָּׁמַיִם[하샤마임] וְאֵת[베엣트] הָאָרֶץ[하아레츠]”입니다. 그냥 ‘아, 태초에 하나님이 천지를 창조하셨구나.’ 정도가 아니라 “‘בְּרֵאשִׁית’[시작의 때에] ‘בָּרָא’[창조하셨다] ‘אֱלֹהִים’[하나님께서] ‘אֵת הַשָּׁמַיִם’[그 하늘들을] ‘וְאֵת הָאָרֶץ’[그리고, 그 땅을]”로 더 깊고 구체적인 묵상이 될 수 있습니다. 단지 성경 한 절을 읽고 지나가는 것이 아니라, 성경 한 구절 한 구절에 대한 감동이 밀려오기도 합니다. 이런 감동은 우리 신앙의 성숙에 분명 도움을 줄 수 있습니다. 신앙에 도움을 줄 수 있는 감동은 그만한 가치가 있다고 봅니다.

다른 더 많은 이유들이 있겠지만, 저는 이 세 가지 이유에 초점을 맞추고 있습니다. 이 정도 이유라면 우리가 히브리어를 배워야만 하는 분명한 명분이 될 수 있지 않을까 합니다. 그럼에도 불구하고 많은 신학대학원에서 배출된 목회자들은 히브리어를 배우는 과정에서 힘들어 하는 이유는 무엇일까요? 혹은 열심히 배운 히브리어가 불과 몇 주 만에 머릿속에서 사라지는 것은 무슨 이유 때문일까요?

2. 히브리어를 어렵게 느끼는 이유

제가 처음 히브리어를 배우던 시절 당시 히브리어 수업을 담당하셨던 이학재現 Covenant University 부총장 교수님은 "이스라엘에 가 보면 어린이들도 전부 히브리어를 합니다. 히브리어는 어렵지 않아요. 그저 익숙하지 않을 뿐이예요."라는 말씀을 자주 하셨습니다. 여러분은 이 말에 대해 어떻게 생각하시나요? 쉽게 동의가 되시나요? 그렇다면, 왜 우리는 히브리어를 어렵게 생각하는 것일까요?

첫째로 모양 때문입니다. 'א', 'ב', 'ג', 'ד', 'ה', 어떤가요? 이 글자들은 영어로 치면 'A', 'B', 'C', 'D', 'E', 즉 알파벳입니다. 한국에서 태어나 처음 히브리어를 접하는 분들은 상형문자인 히브리어를 그림과 글자의 중간 정도라고 인식하게 됩니다. 그래서 "히브리어는 '쓰는 것'이 아니라 '그리는 것'"이라고 여기는 경우가 대부분입니다. 아이들을 키워 보신 분들은 잘 알고 계실 것 같습니다. 아이들에게 문법과 글을 먼저 가르치는 분들은 없습니다. 우선 입과 귀가 열려야 됩니다. 언어 학습에 있어서 입과 귀가 열리기 위해서는 먼저 그 언어에 익숙해져야 합니다.

우리가 히브리어를 어렵게 생각하는 두번째 이유는 방향 때문입니다. 우리말은 원래 중국이나 일본의 영향을 받아 오른쪽에서부터 세로로 작성하는 우종서右縱書였습니다. 성경이나 신문도 우종서로 쓰여졌다는 것을 잘 알고 계실 것입니다. 그러나 현대에는 영어를 비롯한 라틴계 언어들과 마찬가지로 좌횡서左橫書로 작성되고 있습니다. 좌횡서에 익숙해진 현대인들에게 오른쪽에서부터 왼쪽방향 가로로 쓰여지는 우횡서右橫書 언어인 히브리어는 혼란스러울 수밖에 없습니다. 30년간 오른손으로 글씨를 쓰던 사람이 갑자기 왼손으로 글씨를 쓰려고 한다면, 당연히 어렵게 느껴질 수밖에 없듯이 말이지요.

히브리어가 어려운 세번째 이유는 발음 때문입니다. 우리나라 사람이 영어를 배울 때 가장 많이 힘들어하는 발음이 f, q, r, v, z 등이라고 합니다. 우리말로는 이 발음들을 표현하기가 쉽지 않다보니, 많은 분들이 발음에서 좌절하는 경우를 꽤 많이 보게 됩니다. 특히 'f와 p', 'r과 l', 'v와 b', 'j와 z'에 대한 차이는 우리가 쉽게 이해할 수 없는 큰 장벽처럼 느껴지기도 합니다. 이런 생각은 언어에 소질이 없어서가 아닙니다. 우리말 역시 '진리'라는 단어가 있을 때, 이 단어를 처음 보는 사람들이라면 [진리]로 읽어야 할지, [진니]로 읽어야 할지, 혹은 [질리]로 읽어야 할지 고민하게 될 것은 뻔합니다. 게다가 히브리어에는 f, q, r, v, z 발음도 있지만, 거기에 더해 'ח'헤트와 'ך'카프 꼬리형도 당황스러운 발음입니다. 만약 이런 발음들이 크게 어렵지 않다면, 이 부분 역시 히브리어를 비교적 쉽게 배울 수 있는 요소라고 할 수 있습니다.

히브리어는 이런 이유 외에도 문법적 요소 등 다양한 이유로 어렵게 느껴질 수 있습니다. 그러나 제가 공부하면서 본 주변 사람들이나 강의하면서 본 많은 수강생들이 히브리어를 어렵게 느끼는 이유는 대부분 위의 세 가지 이유가 가장 먼저 다가오는 이유들이었습니다. 그렇다면, 히브리어의 모양이나 방향, 그리고 발음의 문턱을 넘어설 수 있는 방법은 과연 없을까요? 만약 그 높디 높아보이는 문턱을 넘어설 수 있는 방법이 있다면, 그 방법들 중에 가장 쉽고 빠르게 그 문턱을 넘어설 수 있는 방법은 어떤 방법이 있을까요?

3. 어려운 것이 아니라 익숙하지 않은 것이다!

앞서 히브리어를 어렵게 느끼는 세 가지 이유를 살펴보았습니다. 모양이 어렵고, 읽거나 쓰는 방향이 달라서 어렵고, 그리고 발음이 어렵다는 것이 그 이유였습니다. 그러나 외국인들은 한결같이 이야기합니다. 한국어가 제일 어렵다고 말이지요. 이렇듯 가장 어렵다고 말하는 한국어를 자유자재로 구사하는 우리나라 사람들에게 히브리어는 과연 어려운 언어일까요? 이스라엘에 가면 미취학 아동들도 자유롭게 사용하는 말이 히브리어인데, 과연 우리나라 사람들에게 어려운 언어일까요?

히브리어는 어렵지 않습니다. 다만, 익숙하지 않을 뿐입니다.

어린 시절, 말과 글을 배우기 위해 우리는 무엇을 했나요? 우리 부모님과 선생님들은 우리에게 말과 글을 가르치기 위해 어떻게 하셨나요? 자녀가 있으시다면, 아이들에게 말과 글을 가르치기 위해 어떻게 하셨나요? 히브리어를 쉽고 빨리 배우고자 하신다면, 그 정답은 여기에 있습니다. 우리말을 배우기 위해서 입으로 따라하고 그 말 소리를 다시 자신의 귀로 듣는 것을 끊임없이 반복했습니다. 반복을 통해 우리는 우리말에 익숙해지게 된 것입니다.

그러나 애석하게도 우리 주변에는 히브리어를 쓰는 사람들이 거의 없습니다. 또한 히브리어로 이야기할 기회도 많지 않습니다. 따라서 우리가 어릴 적 말을 배우던 때의 방법과는 조금 다른 방법이 필요합니다. 일반적으로 언어를 배울 때, 말을 먼저 배우지만, 히브리어에 노출되는 시간이 상대적으로 적은 우리가 말을 먼저 배우기에는 한국어에 너무나도 익숙해져 있습니다. 따라서 말과 글을 함께 시작해야 합니다. 글로 말을 배우고, 말로 글을 익히는 방법이 가장 효과적인 방법이 됩니다. 가장 효과적인 그 방법을 소개해 드리겠습니다.

첫째, 모양이 익숙하지 않은 것에 대해 극복해야 합니다. 모양이 익숙하지 않은 것에 대해 극복하는 가장 효과적인 방법은 바로 '읽으면서 쓰고, 읽으면서 쓰고, 읽으면서 쓰는 것' 입니다. 눈과 손이 힘을 합쳐 일을 할 때, 익숙하지 않아 어렵게 느껴지는 그 모양들을 익숙하게 만들어 줍니다. 읽으면서 쓰고, 읽으면서 쓰고, 읽으면서 쓰는 것. 그것이 가장 효과적이고 빠른 방법입니다.

둘째, 방향이 익숙하지 않은 것에 대해 극복해야 합니다. 읽거나 쓰는 방향이 익숙하지 않다 보니 훨씬 더 어렵게 느껴집니다. 그러나 어려운 것이 아니라 익숙하지 않을 뿐입니다. 방향이 익숙하지 않은 것에 대해 극복하는 가장 효과적인 방법은 바로 '읽으면서 쓰고, 읽으면서 쓰고, 읽으면서 쓰는 것' 입니다. 눈과 입이 힘을 합쳐 일을 할 때, 익숙하지 않아 어렵게 느껴지는 방향성을 익숙하게 만들어 줍니다.

셋째, 발음이 익숙하지 않은 것에 대해 극복해야 합니다. 우리 말에 없는 발음들이 몇 개 등장하다 보니 우리는 히브리어를 훨씬 더 어렵게 느끼게 됩니다. 그러나 이 역시 어려운 것이 아니라 익숙하지 않을 뿐입니다. 발음이 익숙하지 않은 것에 대해 극복하는 가장 효과적인 방법은 바로, 네, 맞습니다. '읽으면서 쓰고, 읽으면서 쓰고, 읽으면서 쓰는 것' 입니다. 끊임없는 입의 노력과 귀의 훈련으로 히브리어 발음들은 익숙해지게 됩니다.

삼위 하나님께서 페리코레시스적περιχωρησις 사랑의 연합을 이루시는 것처럼 우리 눈과 귀와 입과 손이 사랑의 연합을 이룰 때, 히브리어가 됐든 헬라어그리스어가 됐든 가장 효과적인 습득이 가능하게 됩니다. 이 책과 이 책을 통해 진행되는 "왕초보 히브리어 성경읽기" 강의의 가장 중요한 포인트가 바로 '읽으면서 쓰고, 읽으면서 쓰고, 읽으면서 쓰는 것'입니다. 단, 자신의 목소리가 자신의 귀에 들려야 합니다.

그럼 본격적인 학습에 들어가도록 하겠습니다.

제2장 히브리어 알파벳

1. 히브리어 알파벳 송

지금 배울 알파벳 송은 제가 2011년경 이학재 교수님께 배웠던 노래입니다. 이 노래를 계속 부르다 얼마 전에 악보를 그렸습니다. 악보가 익숙하지 않은 분들을 위해 영상으로도 제공하고 있습니다. 부담 갖지 마시고 그냥 여러 번 들어보세요. 좀 익숙해지면 그 때 따라 부르는 겁니다. 속으로만 흥얼거리면 안됩니다. 자신의 귀에 들리도록 소리내어 불러야 합니다. 눈과 입과 귀가 페리코레시스적 사랑의 연합을 이루어야 한다는 것을 잊지 마세요.

히브리어 알파벳 송

위 QR코드를 스마트폰으로 촬영하시면
히브리어 알파벳송 영상을 보실 수 있습니다.

2. 히브리어 알파벳

히브리어 알파벳은 아래와 같습니다. 기억하셔야 할 점은 히브리어의 경우 왼쪽에서 오른쪽으로 읽는 것이 아니라 오른쪽에서부터 왼쪽으로 읽어나간다는 것입니다. 그러나 절대 지금 외우려고 하지 마세요. 어차피 한 달 뒤에는 여러분 머릿속에 다 들어가 있을 겁니다. 지금은 "아~ 히브리어 알파벳은 이렇게 생겼구나."라는 생각만 하고 넘어가시면 됩니다.

ה	ד	ג	ב	א	←
כ	י	ט	ח	ז	ו
פ	ע	ס	נ	מ	ל
ת	שׁ	שׂ	ר	ק	צ

히브리어 알파벳은 이렇게 스물 세 글자로 이루어져 있습니다.

그 중 שׂ신과 שׁ쉰은 처음에 같은 모양이었지만, 구분을 위해 점이 왼쪽 혹은 오른쪽에 찍히게 되었습니다. 한국에서 태어나 한국에서 자란 분들은 분명 이 모양들이 익숙하지 않으실 겁니다. 익숙하지 않다고 해서 고민하진 않으셨으면 합니다. 이 책은 익숙하지 않은 분들을 위한 책이기 때문입니다. 지금은 그림인지 글자인지조차 구분하기 힘들 수도 있겠지만, 저와 함께 하루하루 성실히 진행해 나가면 이 그림들은 어느새 선명한 글자로 나타나게 될 것입니다.

그러나 수월하기만 한 것은 아닙니다. 귀찮게도 '폰트'글꼴라는 것이 있습니다. 우리말의 경우 돋움체나 굴림체 등 산스체Sans계열이 있고, 궁서체나 명조, 바탕체 등의 세리프체Serif 계열이 있습니다. 세리프체는 붓이나 만년필처럼 멋

들어지게 쓰여진 글꼴을 말합니다. 반면에 산스체는 세리프체처럼 화려하지 않고 볼펜이나 연필로 쓴 것처럼 좀 더 단순하다고 할 수 있습니다. 잠깐 비교해서 보도록 하겠습니다.

세리프[Serif]체					
ו	ה	ד	ג	ב	א
ל	כ	י	ט	ח	ז
צ	פ	ע	ס	נ	מ
	ת	שׁ	שׂ	ר	ק

산스[Sans]체					
ו	ה	ד	ג	ב	א
ל	כ	י	ט	ח	ז
צ	פ	ע	ס	נ	מ
	ת	שׁ	שׂ	ר	ק

양쪽 글꼴을 비교해 보시면 아시겠지만, 산스체가 좀 더 단순화되어 있습니다. 대한성서공회에서 출판된 BHS[Biblia Hebraica Stuttgartensia]를 비롯하여 대부분의 히브리어 성경은 세리프체를 사용합니다. 그러나 최근 뉴스나 인터넷 사이트에서는 산스체를 많이 사용하기도 합니다. 하지만, 굳이 두 종류의 글꼴을 모두 외울 필요는 없습니다. 글자들이 구분되는 특징과 모양의 차이만 잘 알면 글자들을 구분하는 것이 전혀 어렵지 않습니다. 글자 모양의 차이에 대해서는 아래 QR코드를 통해 영상을 참조하시길 바랍니다.

위 QR코드를 스마트폰으로 촬영하시면
히브리어 알파벳 모양의 차이에 관한 영상을 보실 수 있습니다.

3. 히브리어 알파벳 꼬리형

애석하게도 히브리어는 알파벳만으로 끝나는 것이 아닙니다. 알파벳의 일부 글자들은 '꼬리형'이라는 것이 있습니다. 단어의 마지막 글자로 올 때는 모양이 바뀌어서 등장합니다. 영어나 헬라어는 대소문자를 다 외워야 해서 개수가 두 배나 되지만, 다행히도 히브리어는 다섯 개의 꼬리형만 알면 됩니다.

기본형	כ	מ	נ	פ	צ
꼬리형	ך	ם	ן	ף	ץ

저 글자들을 어떻게 읽는지 알려주지도 않고 계속 설명만 해대니 뭐가 뭔지 잘 모르겠다고 생각하시는 분들이 많을 겁니다. 하지만, 너무 조급해하지 않으셨으면 합니다. 어차피 한 달 뒤에 여러분은 히브리어 성경을 읽으실 수 있게 됩니다. "아니, 도대체 외워야 되는게 왜 이리 많아?"라는 생각을 하실 수 있습니다. 그러나 염려하지 않으셔도 됩니다. 꾸준함, 바로 '지구력'이 가장 중요합니다. 하루하루 저와 함께 꾸준히 하시면 모든 걱정은 해결될 것입니다.

4. ו바브에 관하여

지금 설명드릴 글자는 어쩌면 알파벳에서 가장 중요한 글자라고 말씀드릴 수도 있을 듯합니다. 이 글자는 자음이기도 하지만, 모음으로도 쓰이는 글자입니다. 게다가 히브리어 성경에서 가장 많이 나오는 글자입니다. 이 글자가 단어 제일

앞부분에 붙으면, 대부분은 '그리고', '또한' 등으로 해석됩니다. 그만큼 중요하고 자주 볼 수 있는 글자입니다. 그렇다고 해서 이 글자를 지금 당장 외우실 필요는 없습니다. 항상 말씀드리지만, 성실히 저를 따라오시다 보면 자연스럽게 외워지게 됩니다.

히브리어는 어렵지 않습니다. 다만, 익숙하지 않을 뿐입니다.

제3장 한 글자씩 따라쓰기

이제 드디어 한 주간 여러분은 히브리어 알파벳을 따라서 써보게 됩니다. 본격적으로 히브리어 알파벳을 쓰기에 앞서 다시 한 번 말씀드립니다. 꼭 입으로 따라 읽으면서, 그 소리를 자신의 귀로 들으며 손으로 써야 합니다. 입과 귀와 눈과 손이 페리코레시스적 사랑의 연합을 이루어야 가장 빠르고 확실히 배울 수 있습니다. "왕초보 히브리어 성경읽기" 강의에서는 7일을 한 싸이클cycle로 매일 훈련하게 됩니다. 생각보다 과제를 하는 시간이 오래 걸리지는 않습니다. 그 뿐 아니라, 하루이틀만 해도 속도는 훨씬 빨라집니다.

한 달 뒤, 히브리어 성경을 읽고 있을 여러분을 응원합니다.

4 주완성 왕초보 히브리어 성경읽기
1st Day
첫째날

SUHYUN
BOOKS
수현북스

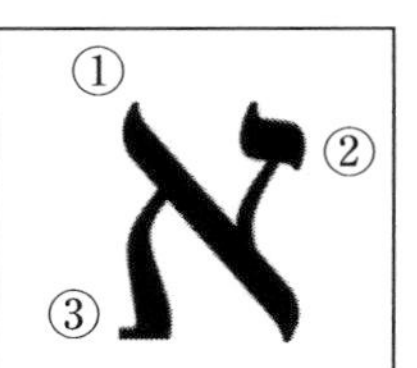

알렙 [*Alef*] 알렙은 발음상 묵음이며, 숫자 1을 의미합니다.

사선을 먼저 그은 뒤에 우측 뿔을 그리고 좌측 뿔을 내리면 됩니다.
오른쪽에서 왼쪽으로 써 나가시면 됩니다. ←

א	א	א	א	א	א	א	א	א	א
א	א	א	א	א	א	א	א	א	א
א	א	א	א	א	א	א	א	א	א
א	א	א	א	א	א	א	א	א	א
א	א	א	א	א	א	א	א	א	א

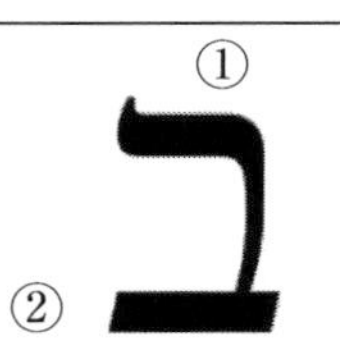

베트 [*Bet*] *b* 혹은 *bh* 발음이며, 숫자 2를 의미합니다.

길고 둥글게 ㄱ자 모양을 그린 후, 가로 선을 그으면 됩니다.
역시 오른쪽에서 왼쪽으로 써 나가시면 됩니다. ←

ב	ב	ב	ב	ב	ב	ב	ב	ב	ב
ב	ב	ב	ב	ב	ב	ב	ב	ב	ב
ב	ב	ב	ב	ב	ב	ב	ב	ב	ב
ב	ב	ב	ב	ב	ב	ב	ב	ב	ב
ב	ב	ב	ב	ב	ב	ב	ב	ב	ב

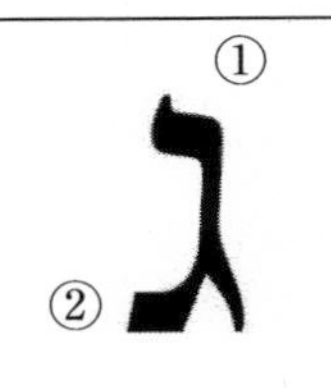

기믈 [*Gimel*] *g* 혹은 *gh* 발음이며, 숫자 3을 의미합니다.

상대적으로 넓이가 좁습니다. 오른쪽으로 내리고 왼쪽 꼬리를 그립니다.
아시죠? 꼭! 입으로 크게 따라 읽으면서 써야 합니다. ←

ג	ג	ג	ג	ג	ג	ג	ג	ג	ג
ג	ג	ג	ג	ג	ג	ג	ג	ג	ג
ג	ג	ג	ג	ג	ג	ג	ג	ג	ג
ג	ג	ג	ג	ג	ג	ג	ג	ג	ג
ג	ג	ג	ג	ג	ג	ג	ג	ג	ג

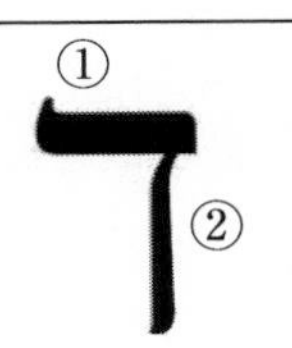

달렛 [*Dalet*] *d* 혹은 *dh* 발음이며, 숫자 4를 의미합니다.

가로로 긋고, 각을 주어 아래로 내립니다..
역시 오른쪽에서 왼쪽으로 써 나가시면 됩니다. ←

ד	ד	ד	ד	ד	ד	ד	ד	ד	ד
ד	ד	ד	ד	ד	ד	ד	ד	ד	ד
ד	ד	ד	ד	ד	ד	ד	ד	ד	ד
ד	ד	ד	ד	ד	ד	ד	ד	ד	ד
ד	ד	ד	ד	ד	ד	ד	ד	ד	ד

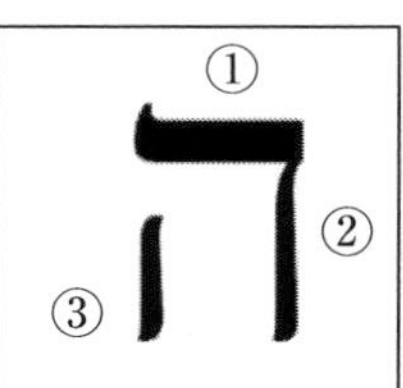

헤 [*He*]　h 발음이며, 숫자 5를 의미합니다.

가로로 긋고 각을 주어 아래로 내린 후, 짧은 선을 내려 긋습니다..
오른쪽에서 왼쪽으로 써 나가시면 됩니다. ←

ה	ה	ה	ה	ה	ה	ה	ה	ה	ה
ה	ה	ה	ה	ה	ה	ה	ה	ה	ה
ה	ה	ה	ה	ה	ה	ה	ה	ה	ה
ה	ה	ה	ה	ה	ה	ה	ה	ה	ה
ה	ה	ה	ה	ה	ה	ה	ה	ה	ה

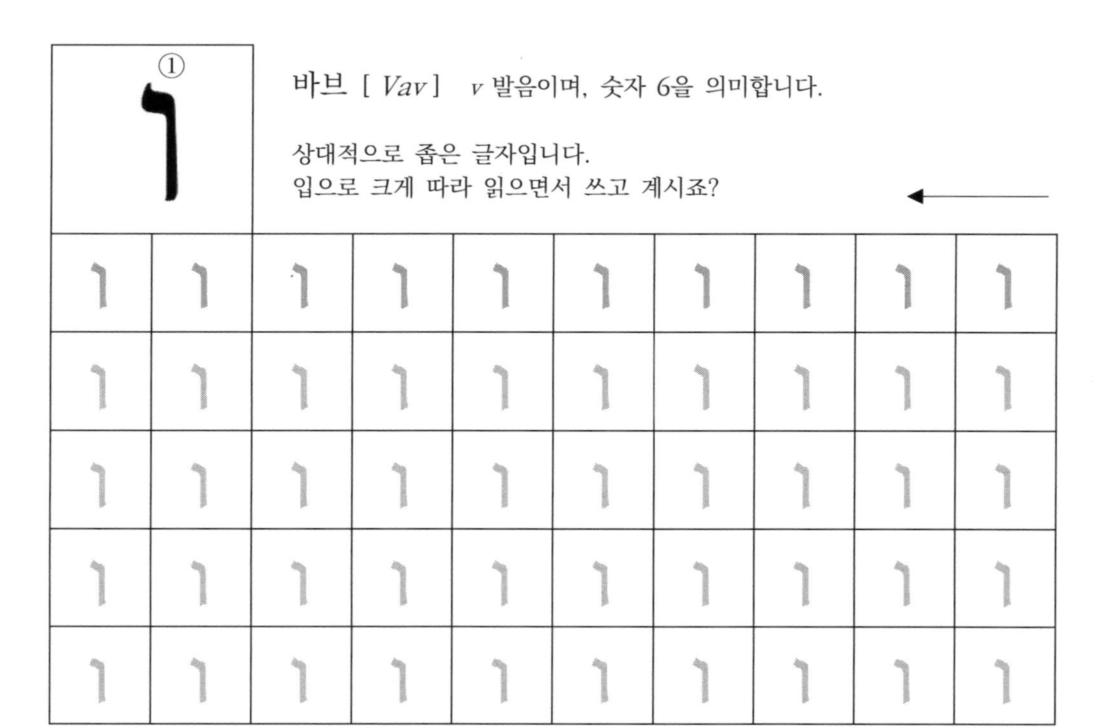

바브 [*Vav*]　*v* 발음이며, 숫자 6을 의미합니다.

상대적으로 좁은 글자입니다.
입으로 크게 따라 읽으면서 쓰고 계시죠? ←

ו	ו	ו	ו	ו	ו	ו	ו	ו	ו
ו	ו	ו	ו	ו	ו	ו	ו	ו	ו
ו	ו	ו	ו	ו	ו	ו	ו	ו	ו
ו	ו	ו	ו	ו	ו	ו	ו	ו	ו
ו	ו	ו	ו	ו	ו	ו	ו	ו	ו

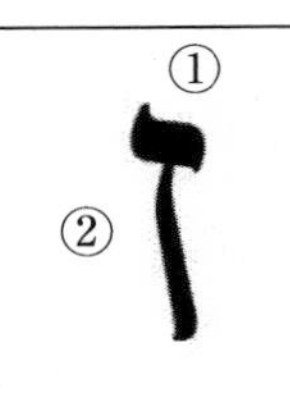

자인 [*Zayin*] 자영어의 *z* 발음이며, 숫자 7을 의미합니다.

상대적으로 좁은 글자입니다.
오른쪽에서 왼쪽으로 써 나가시면 됩니다.

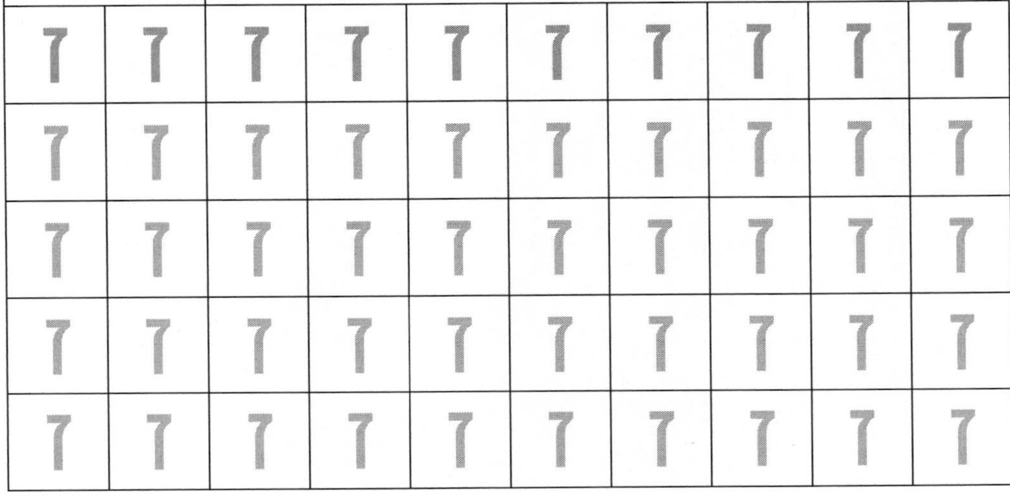

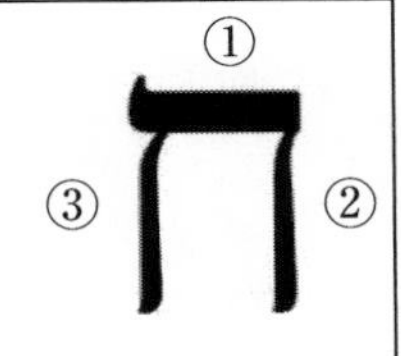

헤트 [*Chet*] *ḥ*, '크'에 가까운 'ㅎ' 발음이며, 숫자 8을 의미합니다.

ה와 비슷하나 왼쪽 세로줄이 깁니다.
꼭! 한 글자씩 입으로 따라 읽으면서 쓰세요.

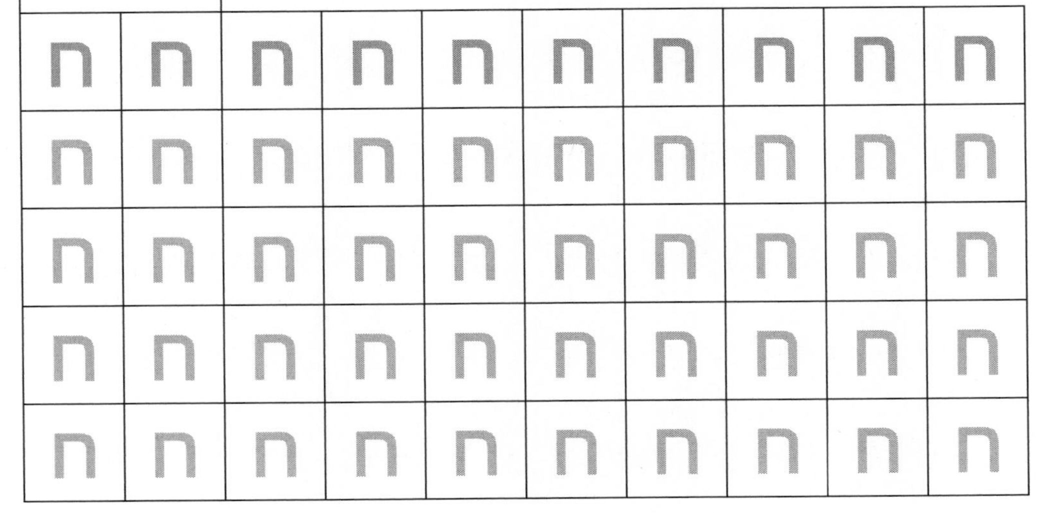

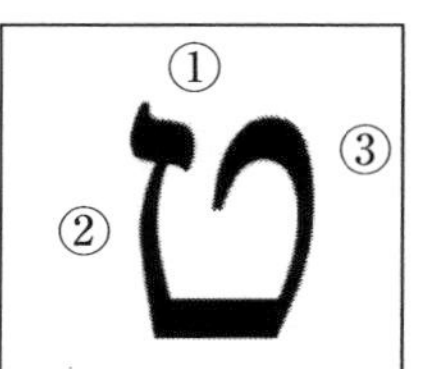

테트 [*Tet*] *t* 발음이며, 숫자 9를 의미합니다.

짧은 가로줄을 긋고 반시계 방향으로 돌려 꼬리를 구멍에 넣습니다.
오른쪽에서 왼쪽으로 써 나가시면 됩니다. ←

ט	ט	ט	ט	ט	ט	ט	ט	ט	ט
ט	ט	ט	ט	ט	ט	ט	ט	ט	ט
ט	ט	ט	ט	ט	ט	ט	ט	ט	ט
ט	ט	ט	ט	ט	ט	ט	ט	ט	ט
ט	ט	ט	ט	ט	ט	ט	ט	ט	ט

요드 [*Yod*] 영어의 *y* 발음이며, 숫자 10을 의미합니다.

히브리어 알파벳 중에 가장 작은 글자입니다.
한 글자씩 따라 읽으며 쓰고 계시죠? ←

י	י	י	י	י	י	י	י	י	י
י	י	י	י	י	י	י	י	י	י
י	י	י	י	י	י	י	י	י	י
י	י	י	י	י	י	י	י	י	י
י	י	י	י	י	י	י	י	י	י

카프 [*Kaf*] *k* 혹은 *kh* 발음이며, 숫자 20을 의미합니다.

영어 C를 거꾸로 쓰듯이 한 번에 그려줍니다.
오른쪽에서 왼쪽으로 써 나간다는 걸 명심하세요. ←

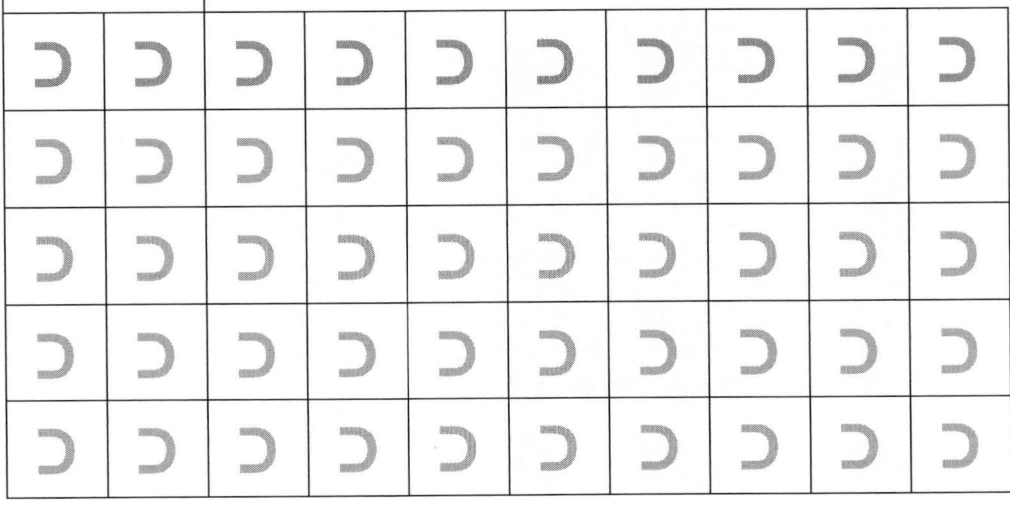

카프 꼬리형 | כ카프가 단어의 끝에 오면 꼬리형으로 바뀝니다.

ד달렛과 비슷하게 생겼지만, 내려오는 꼬리가 더 깁니다.
역시 오른쪽에서 왼쪽으로 써 나가시면 됩니다. ←

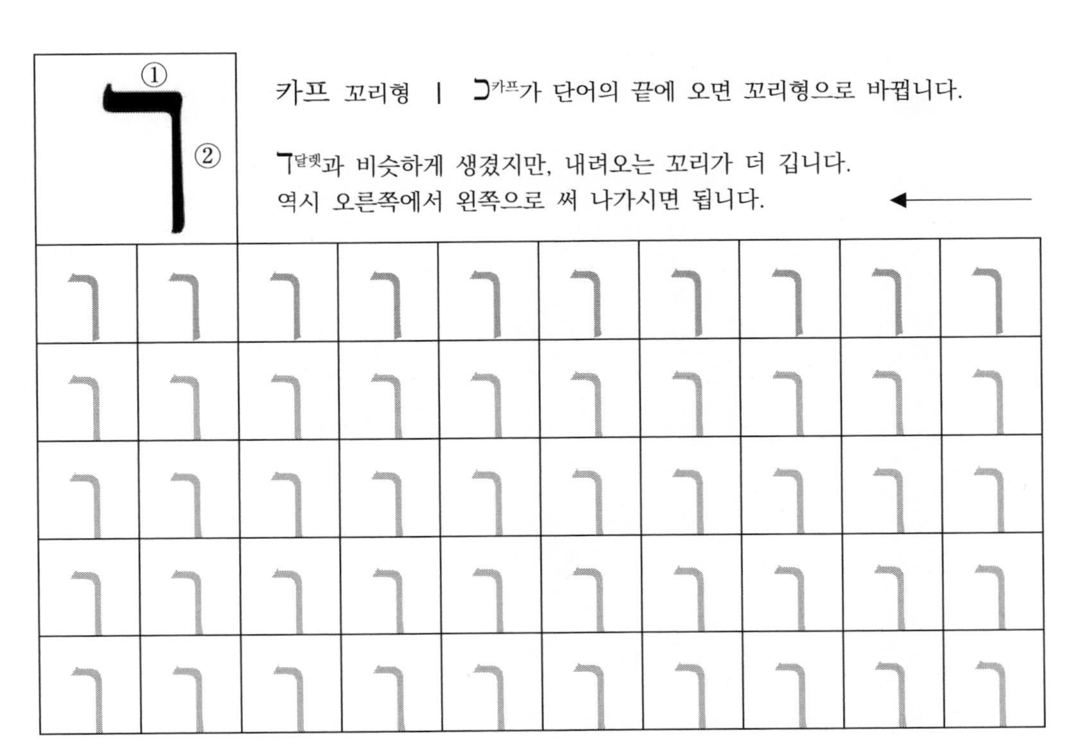

히브리어 알파벳 글자들 중 כ[카프]처럼 꼬리형이 있는 글자는 다섯 개가 있습니다. 히브리어 알파벳 꼬리형에 대해 배운 적이 있는데, 기억 나시나요?

기본형	כ	מ	נ	פ	צ
꼬리형	ך	ם	ן	ף	ץ

이 다섯 글자 역시 굳이 외우실 필요 없습니다. 그냥 "이런 글자들이 있구나" 정도로만 여기고 지나가시면 됩니다. ך[카프 꼬리형]의 경우, 모음이 붙어서 모양이 달라지는 경우도 있지만, 지금 외우실 필요는 전혀 없습니다. 눈으로만 주욱 훑어보고 넘어가시면 됩니다.

ל ① ②

라메드 [*Lamed*] '을' 발음이며, 숫자30을 의미합니다.

오른쪽에서 왼쪽으로 써 나가되 입으로 따라 읽으면서 쓰는 것이 가장 중요하다는 것을 잊지 마세요.

←

ל	ל	ל	ל	ל	ל	ל	ל	ל	ל
ל	ל	ל	ל	ל	ל	ל	ל	ל	ל
ל	ל	ל	ל	ל	ל	ל	ל	ל	ל
ל	ל	ל	ל	ל	ל	ל	ל	ל	ל
ל	ל	ל	ל	ל	ל	ל	ל	ל	ל

멤 [*Mem*] *m* 발음이며, 숫자 40을 의미합니다.

한글 ㅁ[미음]을 그리듯 세로선을 먼저 내리고 그려나갑니다.
입으로 따라 읽으면서 써야 합니다. 절대 잊지 마세요. ←

מ	מ	מ	מ	מ	מ	מ	מ	מ	מ
מ	מ	מ	מ	מ	מ	מ	מ	מ	מ
מ	מ	מ	מ	מ	מ	מ	מ	מ	מ
מ	מ	מ	מ	מ	מ	מ	מ	מ	מ
מ	מ	מ	מ	מ	מ	מ	מ	מ	מ

ם

멤 꼬리형 | מ[멤]이 단어의 끝에 오면 꼬리형으로 바뀝니다.

어느 방향으로든 네모를 그리면 됩니다.
꼬리형을 쓸 때도 꼭 읽으면서 쓰세요. ←

ם	ם	ם	ם	ם	ם	ם	ם	ם	ם
ם	ם	ם	ם	ם	ם	ם	ם	ם	ם
ם	ם	ם	ם	ם	ם	ם	ם	ם	ם
ם	ם	ם	ם	ם	ם	ם	ם	ם	ם
ם	ם	ם	ם	ם	ם	ם	ם	ם	ם

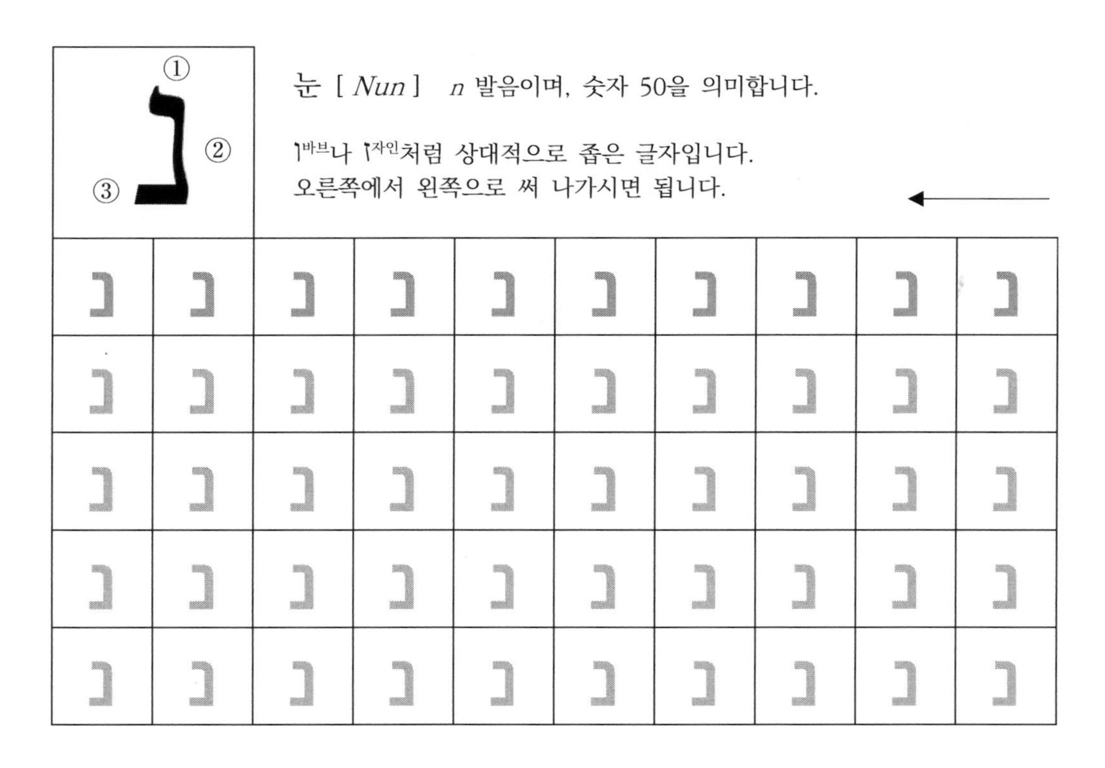

① ② ③
נ
눈 [Nun] n 발음이며, 숫자 50을 의미합니다.
ו[바브]나 ז[자인]처럼 상대적으로 좁은 글자입니다.
오른쪽에서 왼쪽으로 써 나가시면 됩니다.

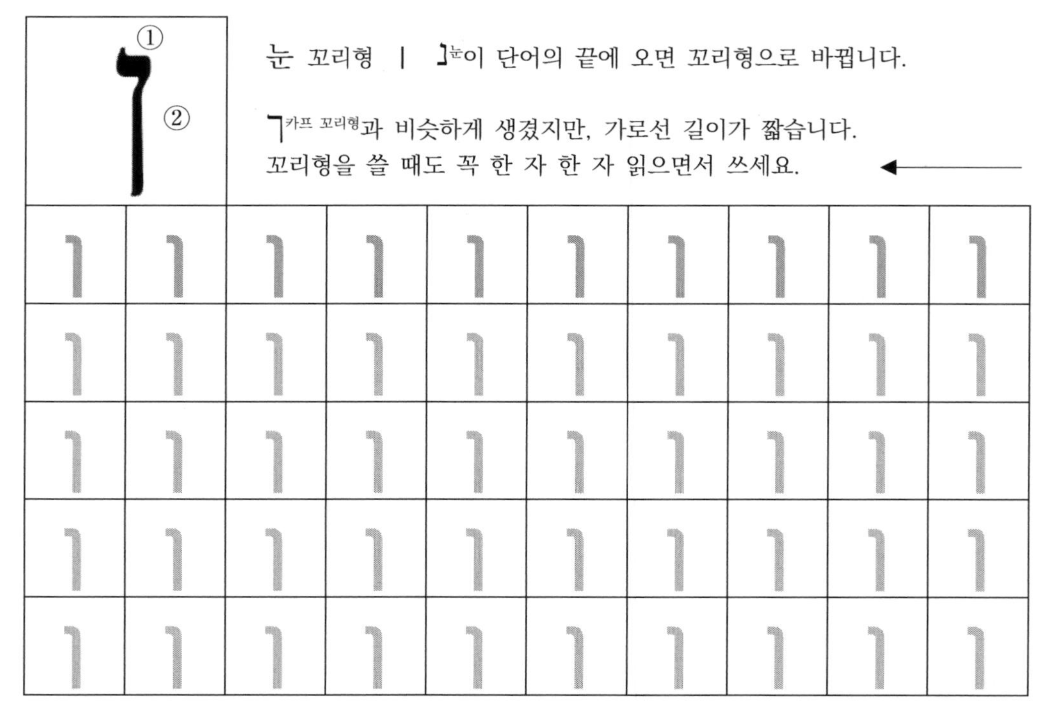

① ②
ן
눈 꼬리형 | נ[눈]이 단어의 끝에 오면 꼬리형으로 바뀝니다.
ך[카프 꼬리형]과 비슷하게 생겼지만, 가로선 길이가 짧습니다.
꼬리형을 쓸 때도 꼭 한 자 한 자 읽으면서 쓰세요.

싸멕 [*Samech*]   *s* 발음이며, 숫자 60을 의미합니다.

시작점에서 둥글게 한 번에 그리면 됩니다.

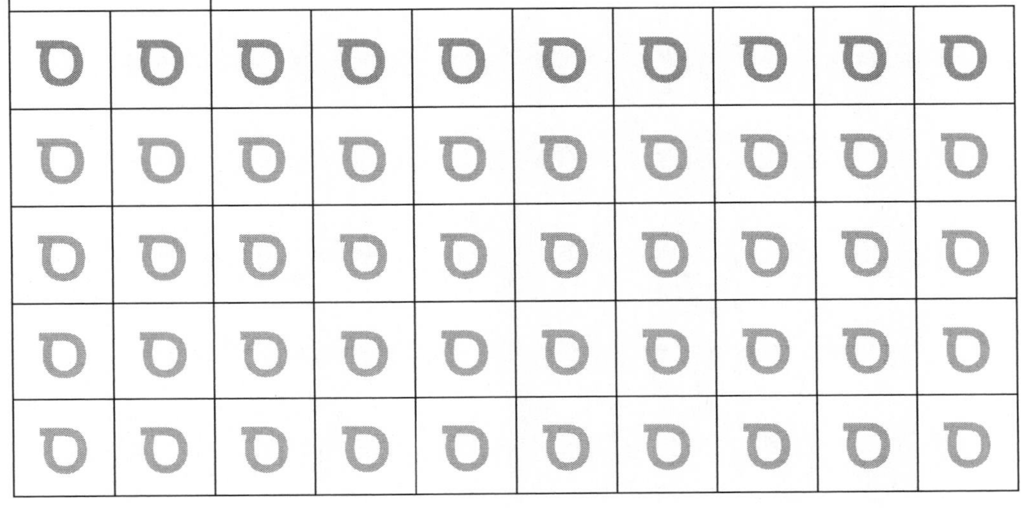

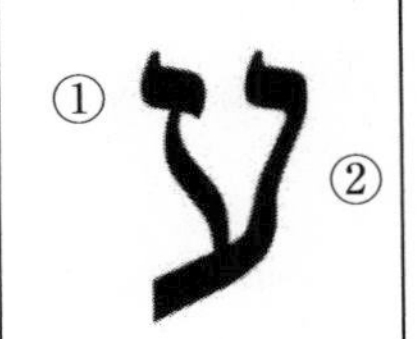

아인 [*Ayin*]   א알렙처럼 발음이 없는 묵음이며, 숫자 70을 의미

영문자 y를 쓰듯이 그리면 됩니다.
따라 읽으면서 써야 한다는 것을 절대 잊으시면 안됩니다.

ע	ע	ע	ע	ע	ע	ע	ע	ע	ע
ע	ע	ע	ע	ע	ע	ע	ע	ע	ע
ע	ע	ע	ע	ע	ע	ע	ע	ע	ע
ע	ע	ע	ע	ע	ע	ע	ע	ע	ע
ע	ע	ע	ע	ע	ע	ע	ע	ע	ע

페 [*Pe*] *p* 혹은 *f* 발음이며, 숫자 80을 의미합니다.

כ카프를 쓴 후 한글 'ㄴ'처럼 그려줍니다.
입으로도 잘 따라하면서 쓰고 계시죠?

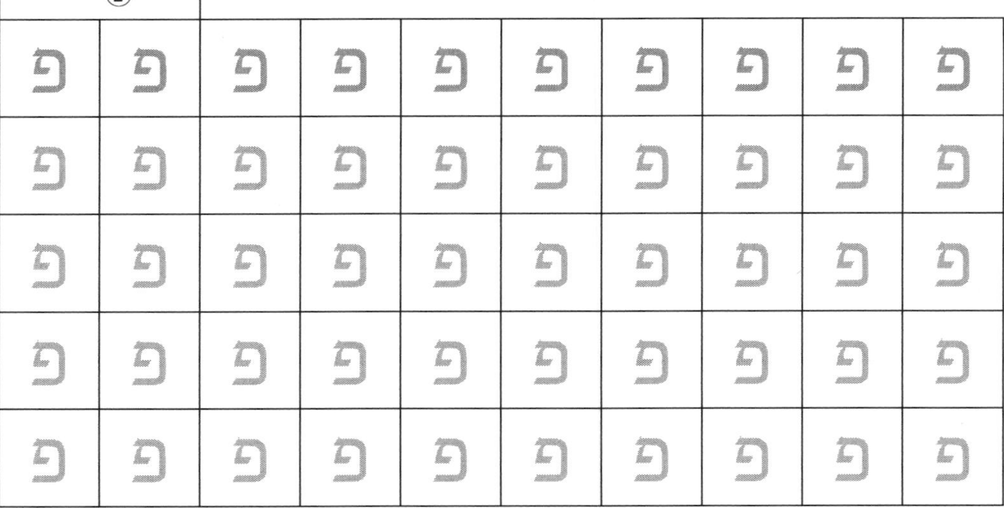

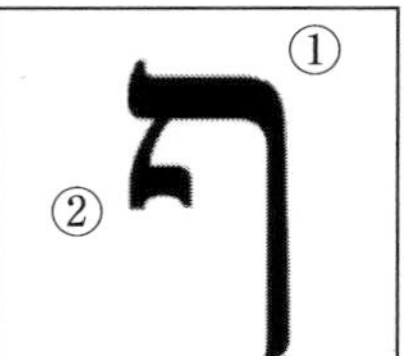

페 꼬리형 | פ페가 단어의 끝에 오면 꼬리형으로 바뀝니다.

꼬리형이기 때문에 길게 내려줍니다.
꼬리형도 입으로 따라하면서 쓰는 것 잊지 않으셨죠?

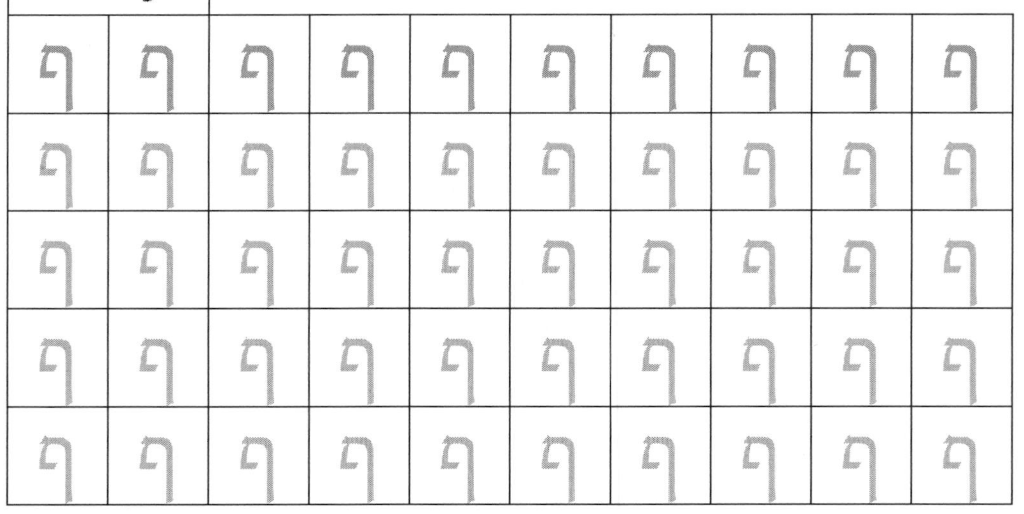

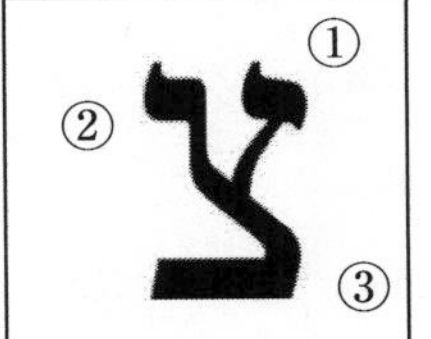

차디 [*Tsadi*] 'ㅊ' 혹은 'ㅉ' 발음이며, 숫자 90을 의미합니다.

오른쪽 뿔을 먼저 그린 후 좌상단에서 내려오며 단번에 그립니다.
읽으면서 쓰고, 읽으면서 쓰고, 읽으면서 쓰세요. ←

צ	צ	צ	צ	צ	צ	צ	צ	צ	צ
צ	צ	צ	צ	צ	צ	צ	צ	צ	צ
צ	צ	צ	צ	צ	צ	צ	צ	צ	צ
צ	צ	צ	צ	צ	צ	צ	צ	צ	צ
צ	צ	צ	צ	צ	צ	צ	צ	צ	צ

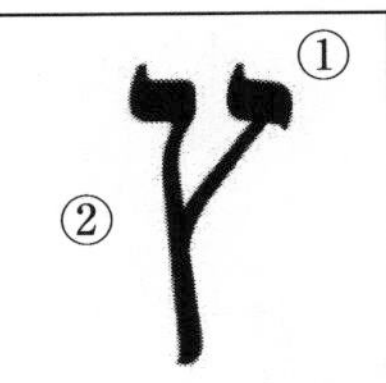

차디 꼬리형 | צ차디가 단어의 끝에 오면 꼬리형으로 바뀝니다.

오른쪽 뿔을 먼저 그린 후 세로선을 내려줍니다.
역시 오른쪽에서 왼쪽으로 써 나가시면 됩니다. ←

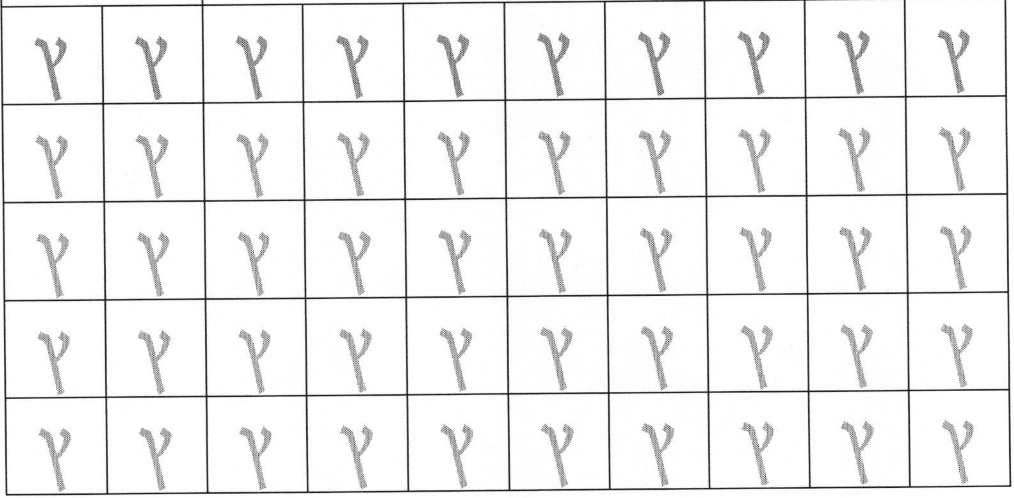

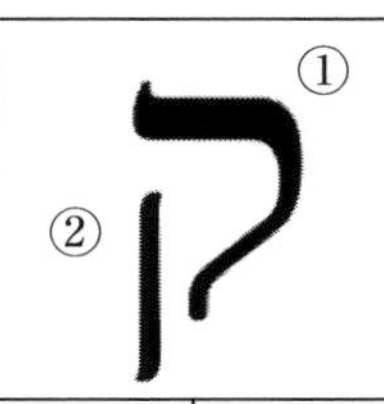

코프 [*Qof*] *q*나 강한 *k*의 발음이며, 숫자 100을 의미합니다.

영어 대문자 P와 비슷한 모양입니다.
계속 알파벳을 읽으며 오른쪽에서부터 따라 쓰고 계시죠? ←

ק	ק	ק	ק	ק	ק	ק	ק	ק	ק
ק	ק	ק	ק	ק	ק	ק	ק	ק	ק
ק	ק	ק	ק	ק	ק	ק	ק	ק	ק
ק	ק	ק	ק	ק	ק	ק	ק	ק	ק
ק	ק	ק	ק	ק	ק	ק	ק	ק	ק

레쉬 [*Resh*] *r* 발음이며, 숫자 200을 의미합니다.

ב[베트]에서 밑줄만 없다고 생각하시면 됩니다.
오른쪽에서 왼쪽으로 쓰는 걸 깜빡하시면 안됩니다. ←

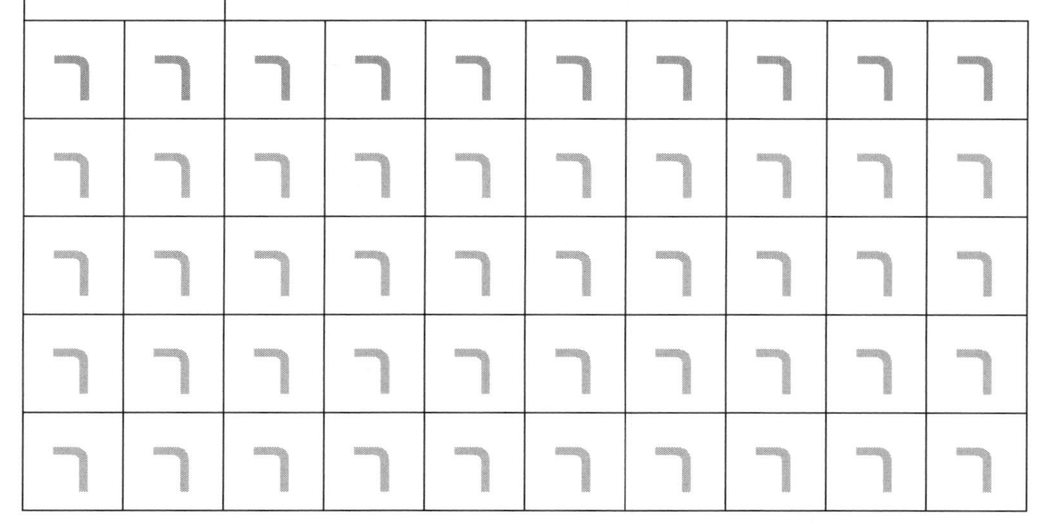

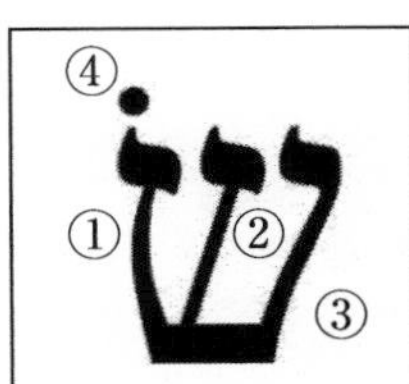

신 [*Sin*] s 발음이며, 숫자 300을 의미합니다.

왼쪽부터 세로줄을 차례로 그린 뒤 마지막으로 점을 찍어줍니다.
"왼쪽 신발~ 오른쪽 쉰밥!" 기억하시죠?.

שׂ	שׂ	שׂ	שׂ	שׂ	שׂ	שׂ	שׂ	שׂ	שׂ
שׂ	שׂ	שׂ	שׂ	שׂ	שׂ	שׂ	שׂ	שׂ	שׂ
שׂ	שׂ	שׂ	שׂ	שׂ	שׂ	שׂ	שׂ	שׂ	שׂ
שׂ	שׂ	שׂ	שׂ	שׂ	שׂ	שׂ	שׂ	שׂ	שׂ
שׂ	שׂ	שׂ	שׂ	שׂ	שׂ	שׂ	שׂ	שׂ	שׂ

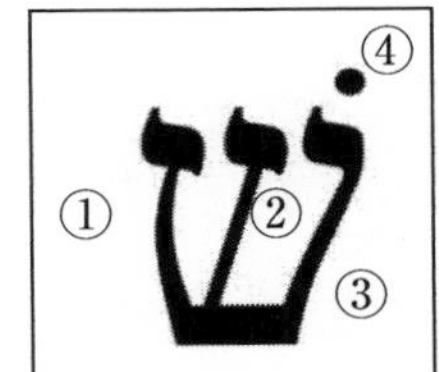

쉰 [*Shin*] *sh* 발음이며, שׂ신과 마찬가지로 숫자 300을 의미합니다.

오른쪽에 점이 있을 뿐, 쓰는 순서 역시 שׂ신과 같습니다.
"왼쪽 신발~ 오른쪽 쉰밥!" 잊으면 안됩니다.

שׁ	שׁ	שׁ	שׁ	שׁ	שׁ	שׁ	שׁ	שׁ	שׁ
שׁ	שׁ	שׁ	שׁ	שׁ	שׁ	שׁ	שׁ	שׁ	שׁ
שׁ	שׁ	שׁ	שׁ	שׁ	שׁ	שׁ	שׁ	שׁ	שׁ
שׁ	שׁ	שׁ	שׁ	שׁ	שׁ	שׁ	שׁ	שׁ	שׁ
שׁ	שׁ	שׁ	שׁ	שׁ	שׁ	שׁ	שׁ	שׁ	שׁ

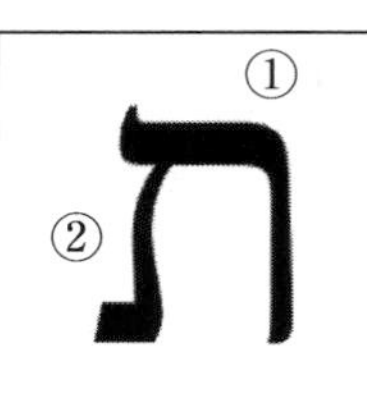

타브 [*Tav*] *t* 혹은 *th* 발음이며, 숫자 400을 의미합니다.

ה헤나 ח헤트와 비슷하지만, 마지막 세로선이 물결모양으로 구부러집니다.
마지막 글자까지 입으로 따라하며, 오른쪽에서 왼쪽으로! ←

ת	ת	ת	ת	ת	ת	ת	ת	ת	ת
ת	ת	ת	ת	ת	ת	ת	ת	ת	ת
ת	ת	ת	ת	ת	ת	ת	ת	ת	ת
ת	ת	ת	ת	ת	ת	ת	ת	ת	ת
ת	ת	ת	ת	ת	ת	ת	ת	ת	ת

여기까지가 첫째날 과제입니다. 여러분은 꼬리형을 포함한 히브리어 알파벳을 전부 읽고 써보았습니다. 힘드셨나요? 생각보다는 어렵지 않다고 느끼셨을 겁니다. 오늘 과제를 잘 마치셨으니, 히브리어 알파벳 송을 열 번만 듣고 머리를 식히세요. 수고하셨습니다.

위 QR코드를 스마트폰으로 촬영하시면
히브리어 알파벳송 영상을 보실 수 있습니다.

첫째날 과제를 잘 마무리했다면, 날짜를 적어 보세요.

과제완료일 : 20 년 월 일

4 주완성 왕초보 히브리어 성경읽기
2nd Day
둘째날

SUHYUN
BOOKS
수현북스

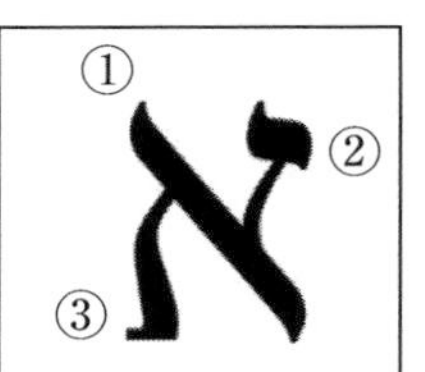

알렙 [*Alef*] 알렙은 발음상 묵음이며, 숫자 1을 의미합니다.

사선을 먼저 그은 뒤에 우측 뿔을 그리고 좌측 뿔을 내리면 됩니다.
오른쪽에서 왼쪽으로 써 나가시면 됩니다. ←

א	א	א	א	א	א	א	א	א	א
א	א	א	א	א	א	א	א	א	א
א	א	א	א	א	א	א	א	א	א
א	א	א	א	א	א	א	א	א	א
א	א	א	א	א	א	א	א	א	א

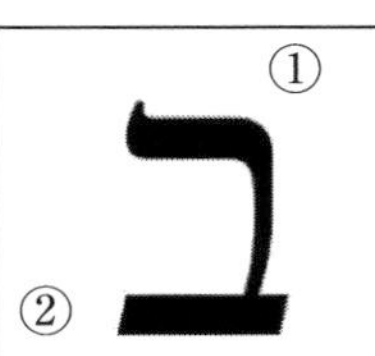

베트 [*Bet*] *b* 혹은 *bh* 발음이며, 숫자 2를 의미합니다.

길고 둥글게 ㄱ자 모양을 그린 후, 가로 선을 그으면 됩니다.
역시 오른쪽에서 왼쪽으로 써 나가시면 됩니다. ←

ב	ב	ב	ב	ב	ב	ב	ב	ב	ב
ב	ב	ב	ב	ב	ב	ב	ב	ב	ב
ב	ב	ב	ב	ב	ב	ב	ב	ב	ב
ב	ב	ב	ב	ב	ב	ב	ב	ב	ב
ב	ב	ב	ב	ב	ב	ב	ב	ב	ב

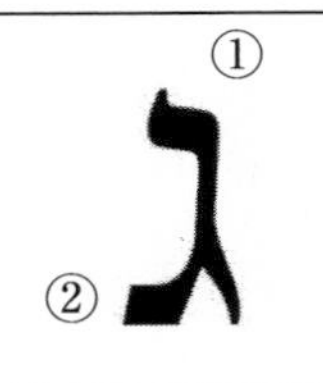

기믈 [*Gimel*]　*g* 혹은 *gh* 발음이며, 숫자 3을 의미합니다.

상대적으로 넓이가 좁습니다. 오른쪽으로 내리고 왼쪽 꼬리를 그립니다.
아시죠? 꼭! 입으로 크게 따라 읽으면서 써야 합니다. ←

ג	ג	ג	ג	ג	ג	ג	ג	ג	ג
ג	ג	ג	ג	ג	ג	ג	ג	ג	ג
ג	ג	ג	ג	ג	ג	ג	ג	ג	ג
ג	ג	ג	ג	ג	ג	ג	ג	ג	ג
ג	ג	ג	ג	ג	ג	ג	ג	ג	ג

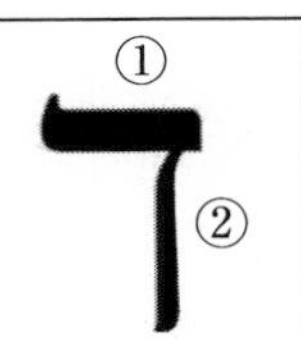

달렛 [*Dalet*]　*d* 혹은 *dh* 발음이며, 숫자 4를 의미합니다.

가로로 긋고, 각을 주어 아래로 내립니다..
역시 오른쪽에서 왼쪽으로 써 나가시면 됩니다. ←

ד	ד	ד	ד	ד	ד	ד	ד	ד	ד
ד	ד	ד	ד	ד	ד	ד	ד	ד	ד
ד	ד	ד	ד	ד	ד	ד	ד	ד	ד
ד	ד	ד	ד	ד	ד	ד	ד	ד	ד
ד	ד	ד	ד	ד	ד	ד	ד	ד	ד

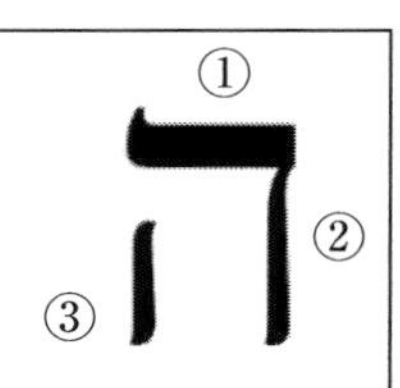

헤 [*He*] h 발음이며, 숫자 5를 의미합니다.

가로로 긋고 각을 주어 아래로 내린 후, 짧은 선을 내려 긋습니다..
오른쪽에서 왼쪽으로 써 나가시면 됩니다. ←

ה	ה	ה	ה	ה	ה	ה	ה	ה	ה
ה	ה	ה	ה	ה	ה	ה	ה	ה	ה
ה	ה	ה	ה	ה	ה	ה	ה	ה	ה
ה	ה	ה	ה	ה	ה	ה	ה	ה	ה
ה	ה	ה	ה	ה	ה	ה	ה	ה	ה

바브 [*Vav*] *v* 발음이며, 숫자 6을 의미합니다.

상대적으로 좁은 글자입니다.
입으로 크게 따라 읽으면서 쓰고 계시죠? ←

ו	ו	ו	ו	ו	ו	ו	ו	ו	ו
ו	ו	ו	ו	ו	ו	ו	ו	ו	ו
ו	ו	ו	ו	ו	ו	ו	ו	ו	ו
ו	ו	ו	ו	ו	ו	ו	ו	ו	ו
ו	ו	ו	ו	ו	ו	ו	ו	ו	ו

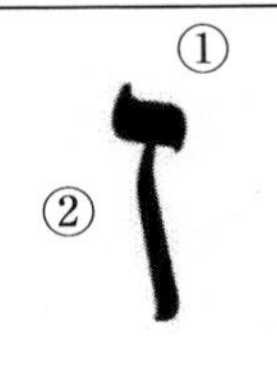

자인 [*Zayin*] 영어의 *z* 발음이며, 숫자 7을 의미합니다.

상대적으로 좁은 글자입니다.
오른쪽에서 왼쪽으로 써 나가시면 됩니다. ←

ז	ז	ז	ז	ז	ז	ז	ז	ז	ז
ז	ז	ז	ז	ז	ז	ז	ז	ז	ז
ז	ז	ז	ז	ז	ז	ז	ז	ז	ז
ז	ז	ז	ז	ז	ז	ז	ז	ז	ז
ז	ז	ז	ז	ז	ז	ז	ז	ז	ז

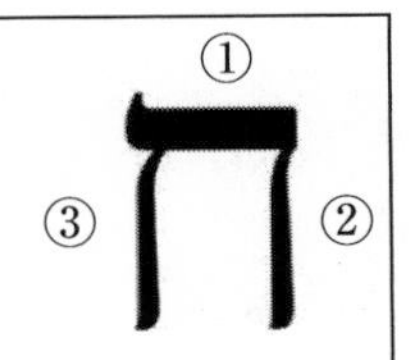

헤트 [*Chet*] *h*, '크'에 가까운 'ㅎ' 발음이며, 숫자 8을 의미합니다.

ה와 비슷하나 왼쪽 세로줄이 깁니다.
꼭! 한 글자씩 입으로 따라 읽으면서 쓰세요. ←

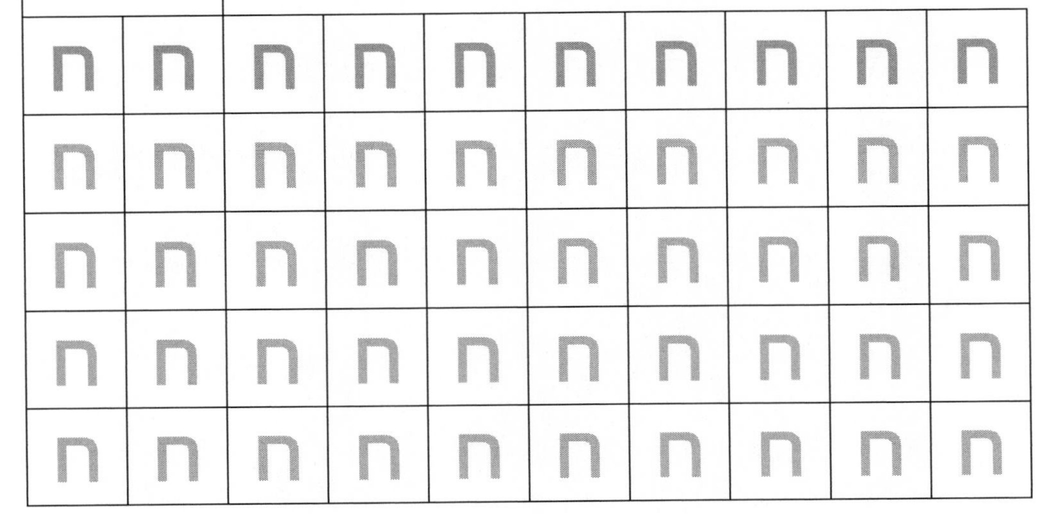

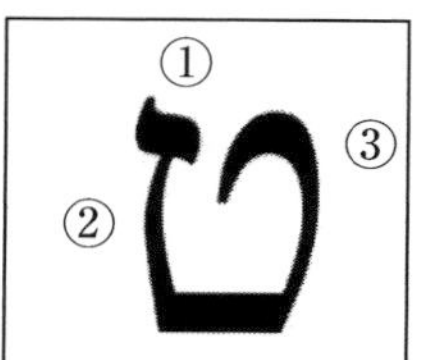

테트 [*Tet*] *t* 발음이며, 숫자 9를 의미합니다.

짧은 가로줄을 긋고 반시계 방향으로 돌려 꼬리를 구멍에 넣습니다.
오른쪽에서 왼쪽으로 써 나가시면 됩니다. ←

ט	ט	ט	ט	ט	ט	ט	ט	ט	ט
ט	ט	ט	ט	ט	ט	ט	ט	ט	ט
ט	ט	ט	ט	ט	ט	ט	ט	ט	ט
ט	ט	ט	ט	ט	ט	ט	ט	ט	ט
ט	ט	ט	ט	ט	ט	ט	ט	ט	ט

요드 [*Yod*] 영어의 *y* 발음이며, 숫자 10을 의미합니다.

히브리어 알파벳 중에 가장 작은 글자입니다.
한 글자씩 따라 읽으며 쓰고 계시죠? ←

י	י	י	י	י	י	י	י	י	י
י	י	י	י	י	י	י	י	י	י
י	י	י	י	י	י	י	י	י	י
י	י	י	י	י	י	י	י	י	י
י	י	י	י	י	י	י	י	י	י

카프 [*Kaf*] *k* 혹은 *kh* 발음이며, 숫자 20을 의미합니다.

영어 C를 거꾸로 쓰듯이 한 번에 그려줍니다.
오른쪽에서 왼쪽으로 써 나간다는 걸 명심하세요.

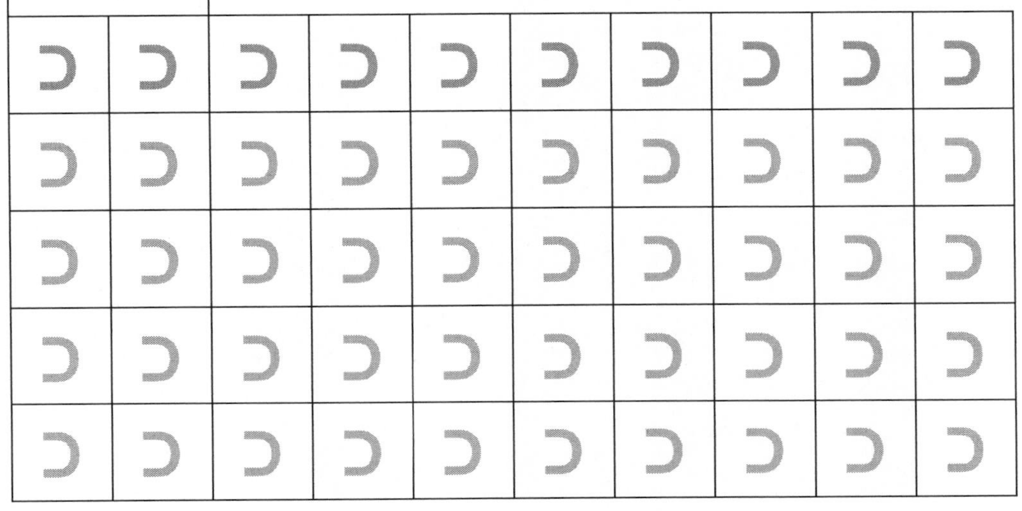

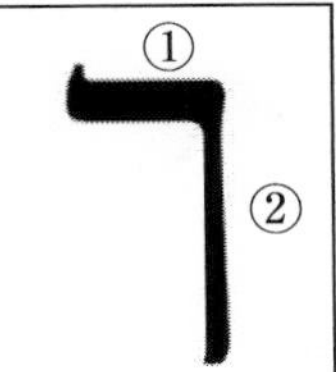

카프 꼬리형 | כ카프가 단어의 끝에 오면 꼬리형으로 바뀝니다.

ד달렛과 비슷하게 생겼지만, 내려오는 꼬리가 더 깁니다.
역시 오른쪽에서 왼쪽으로 써 나가시면 됩니다.

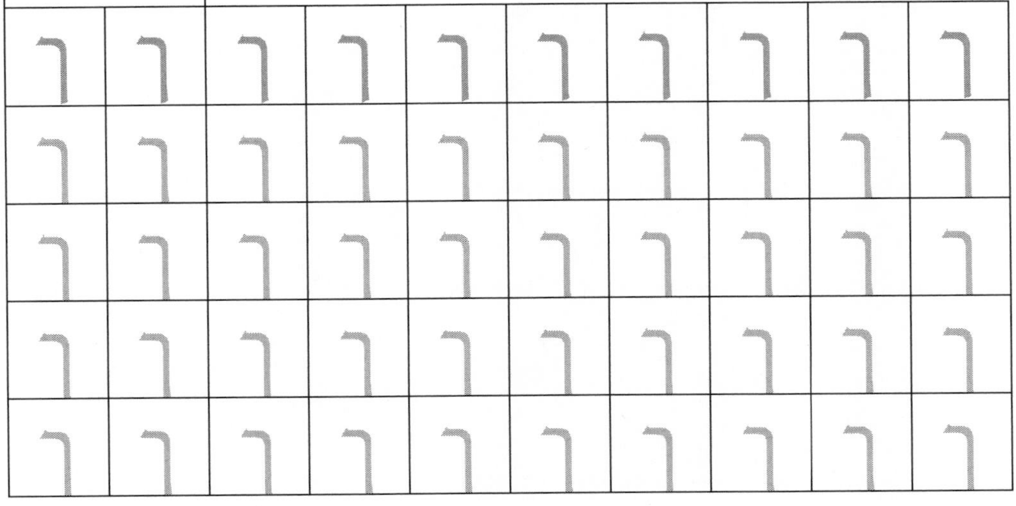

히브리어 알파벳 글자들 중 כ카프처럼 꼬리형이 있는 글자는 다섯 개가 있습니다. 히브리어 알파벳 꼬리형에 대해 배운 적이 있는데, 기억 나시나요?

기본형	כ	מ	נ	פ	צ
꼬리형	ך	ם	ן	ף	ץ

이 다섯 글자 역시 굳이 외우실 필요 없습니다. 그냥 "이런 글자들이 있구나" 정도로만 여기고 지나가시면 됩니다. ך카프 꼬리형의 경우, 모음이 붙어서 모양이 달라지는 경우도 있지만, 지금 외우실 필요는 전혀 없습니다. 눈으로만 주욱 훑어보고 넘어가시면 됩니다.

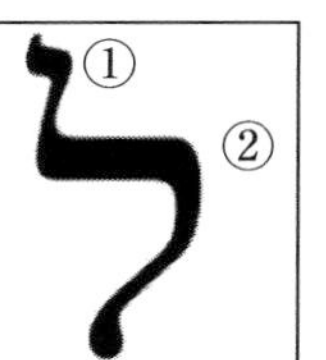

라메드 [*Lamed*] '을' 발음이며, 숫자30을 의미합니다.

오른쪽에서 왼쪽으로 써 나가되 입으로 따라 읽으면서 쓰는 것이 가장 중요하다는 것을 잊지 마세요.

ל	ל	ל	ל	ל	ל	ל	ל	ל	ל
ל	ל	ל	ל	ל	ל	ל	ל	ל	ל
ל	ל	ל	ל	ל	ל	ל	ל	ל	ל
ל	ל	ל	ל	ל	ל	ל	ל	ל	ל
ל	ל	ל	ל	ל	ל	ל	ל	ל	ל

멤 [*Mem*] *m* 발음이며, 숫자 40을 의미합니다.

한글 ㅁ[미음]을 그리듯 세로선을 먼저 내리고 그려나갑니다.
입으로 따라 읽으면서 써야 합니다. 절대 잊지 마세요.

מ	מ	מ	מ	מ	מ	מ	מ	מ	מ
מ	מ	מ	מ	מ	מ	מ	מ	מ	מ
מ	מ	מ	מ	מ	מ	מ	מ	מ	מ
מ	מ	מ	מ	מ	מ	מ	מ	מ	מ
מ	מ	מ	מ	מ	מ	מ	מ	מ	מ

ם

멤 꼬리형 | מ[멤]이 단어의 끝에 오면 꼬리형으로 바뀝니다.

어느 방향으로든 네모를 그리면 됩니다.
꼬리형을 쓸 때도 꼭 읽으면서 쓰세요.

ם	ם	ם	ם	ם	ם	ם	ם	ם	ם
ם	ם	ם	ם	ם	ם	ם	ם	ם	ם
ם	ם	ם	ם	ם	ם	ם	ם	ם	ם
ם	ם	ם	ם	ם	ם	ם	ם	ם	ם
ם	ם	ם	ם	ם	ם	ם	ם	ם	ם

נ ① ② ③

눈 [*Nun*] *n* 발음이며, 숫자 50을 의미합니다.

ו[바브]나 ז[자인]처럼 상대적으로 좁은 글자입니다.
오른쪽에서 왼쪽으로 써 나가시면 됩니다. ←

נ	נ	נ	נ	נ	נ	נ	נ	נ	נ
נ	נ	נ	נ	נ	נ	נ	נ	נ	נ
נ	נ	נ	נ	נ	נ	נ	נ	נ	נ
נ	נ	נ	נ	נ	נ	נ	נ	נ	נ
נ	נ	נ	נ	נ	נ	נ	נ	נ	נ

ן ① ②

눈 꼬리형 | נ[눈]이 단어의 끝에 오면 꼬리형으로 바뀝니다.

ך[카프 꼬리형]과 비슷하게 생겼지만, 가로선 길이가 짧습니다.
꼬리형을 쓸 때도 꼭 한 자 한 자 읽으면서 쓰세요. ←

ן	ן	ן	ן	ן	ן	ן	ן	ן	ן
ן	ן	ן	ן	ן	ן	ן	ן	ן	ן
ן	ן	ן	ן	ן	ן	ן	ן	ן	ן
ן	ן	ן	ן	ן	ן	ן	ן	ן	ן
ן	ן	ן	ן	ן	ן	ן	ן	ן	ן

싸멕 [*Samech*] *s* 발음이며, 숫자 60을 의미합니다.

시작점에서 둥글게 한 번에 그리면 됩니다.

←

ס	ס	ס	ס	ס	ס	ס	ס	ס	ס
ס	ס	ס	ס	ס	ס	ס	ס	ס	ס
ס	ס	ס	ס	ס	ס	ס	ס	ס	ס
ס	ס	ס	ס	ס	ס	ס	ס	ס	ס
ס	ס	ס	ס	ס	ס	ס	ס	ס	ס

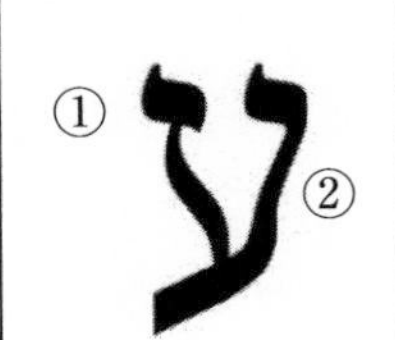

아인 [*Ayin*] א알렙처럼 발음이 없는 묵음이며, 숫자 70을 의미

영문자 y를 쓰듯이 그리면 됩니다.
따라 읽으면서 써야 한다는 것을 절대 잊으시면 안됩니다. ←

ע	ע	ע	ע	ע	ע	ע	ע	ע	ע
ע	ע	ע	ע	ע	ע	ע	ע	ע	ע
ע	ע	ע	ע	ע	ע	ע	ע	ע	ע
ע	ע	ע	ע	ע	ע	ע	ע	ע	ע
ע	ע	ע	ע	ע	ע	ע	ע	ע	ע

페 [*Pe*] *p* 혹은 *f* 발음이며, 숫자 80을 의미합니다.

כ카프를 쓴 후 한글 'ㄴ'처럼 그려줍니다.
입으로도 잘 따라하면서 쓰고 계시죠?

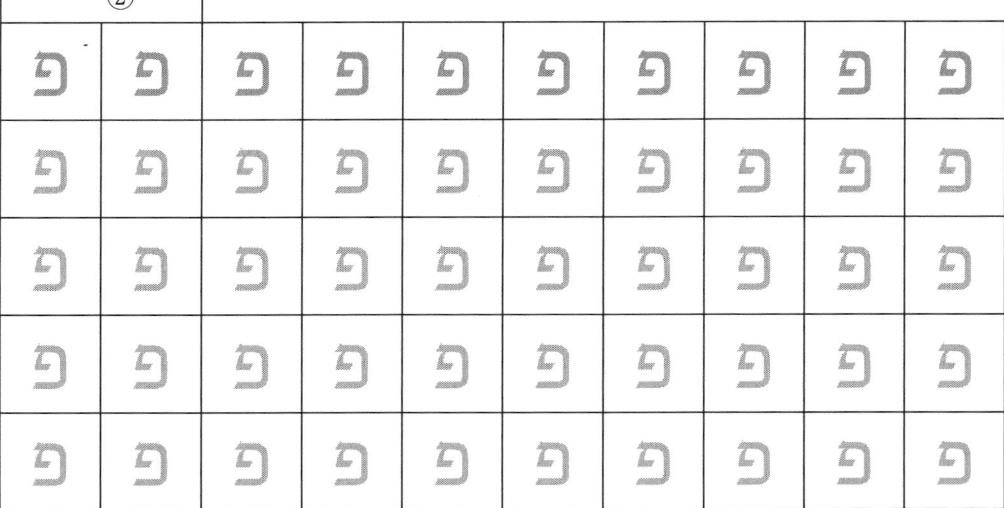

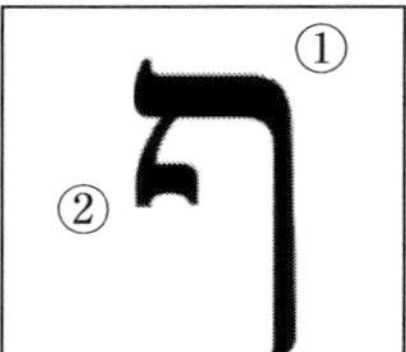

페 꼬리형 | פ페가 단어의 끝에 오면 꼬리형으로 바뀝니다.

꼬리형이기 때문에 길게 내려줍니다.
꼬리형도 입으로 따라하면서 쓰는 것 잊지 않으셨죠?

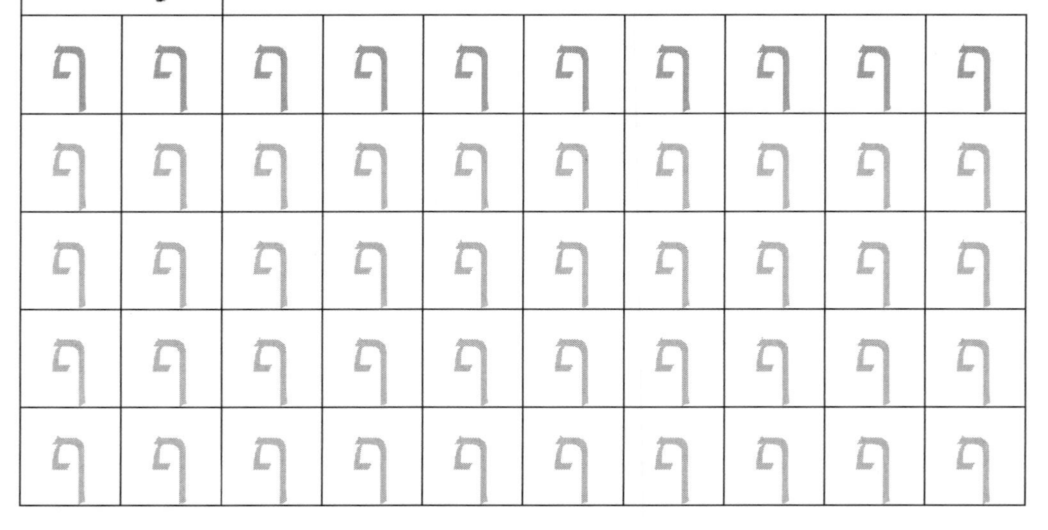

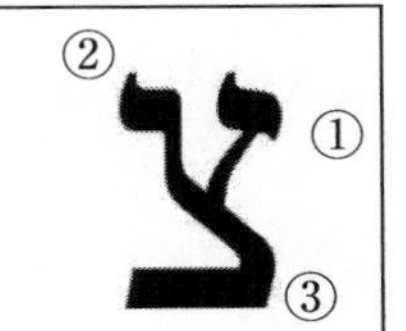

차디 [*Tsadi*] 'ㅊ' 혹은 'ㅉ' 발음이며, 숫자 90을 의미합니다.

오른쪽 뿔을 먼저 그린 후 좌상단에서 내려오며 단번에 그립니다.
읽으면서 쓰고, 읽으면서 쓰고, 읽으면서 쓰세요. ←

צ	צ	צ	צ	צ	צ	צ	צ	צ	צ
צ	צ	צ	צ	צ	צ	צ	צ	צ	צ
צ	צ	צ	צ	צ	צ	צ	צ	צ	צ
צ	צ	צ	צ	צ	צ	צ	צ	צ	צ
צ	צ	צ	צ	צ	צ	צ	צ	צ	צ

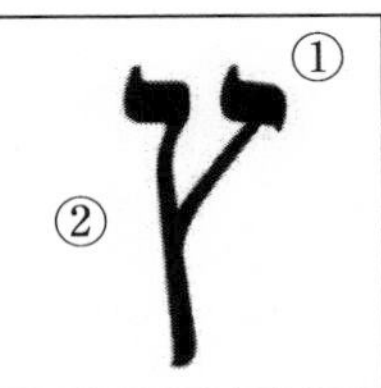

차디 꼬리형 | צ차디가 단어의 끝에 오면 꼬리형으로 바뀝니다.

오른쪽 뿔을 먼저 그린 후 세로선을 내려줍니다.
역시 오른쪽에서 왼쪽으로 써 나가시면 됩니다. ←

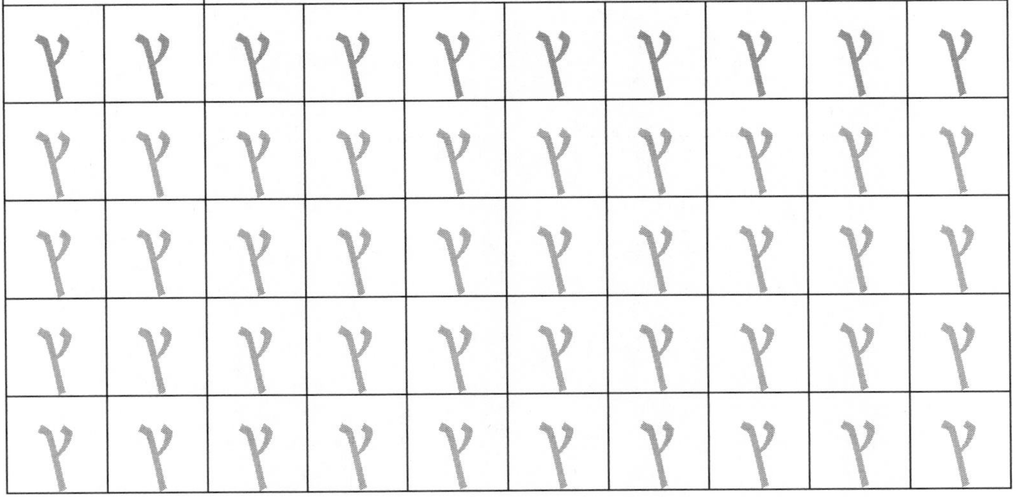

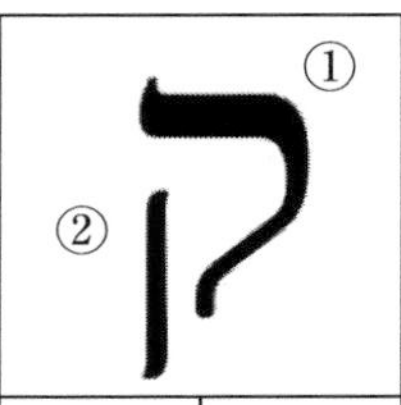

코프 [*Qof*] *q*나 강한 *k*의 발음이며, 숫자 100을 의미합니다.

영어 대문자 P와 비슷한 모양입니다.
계속 알파벳을 읽으며 오른쪽에서부터 따라 쓰고 계시죠? ←

ק	ק	ק	ק	ק	ק	ק	ק	ק	ק
ק	ק	ק	ק	ק	ק	ק	ק	ק	ק
ק	ק	ק	ק	ק	ק	ק	ק	ק	ק
ק	ק	ק	ק	ק	ק	ק	ק	ק	ק
ק	ק	ק	ק	ק	ק	ק	ק	ק	ק

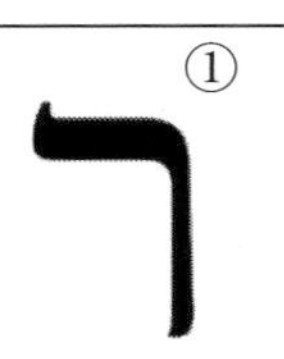

레쉬 [*Resh*] *r* 발음이며, 숫자 200을 의미합니다.

ב[베트]에서 밑줄만 없다고 생각하시면 됩니다.
오른쪽에서 왼쪽으로 쓰는 걸 깜빡하시면 안됩니다. ←

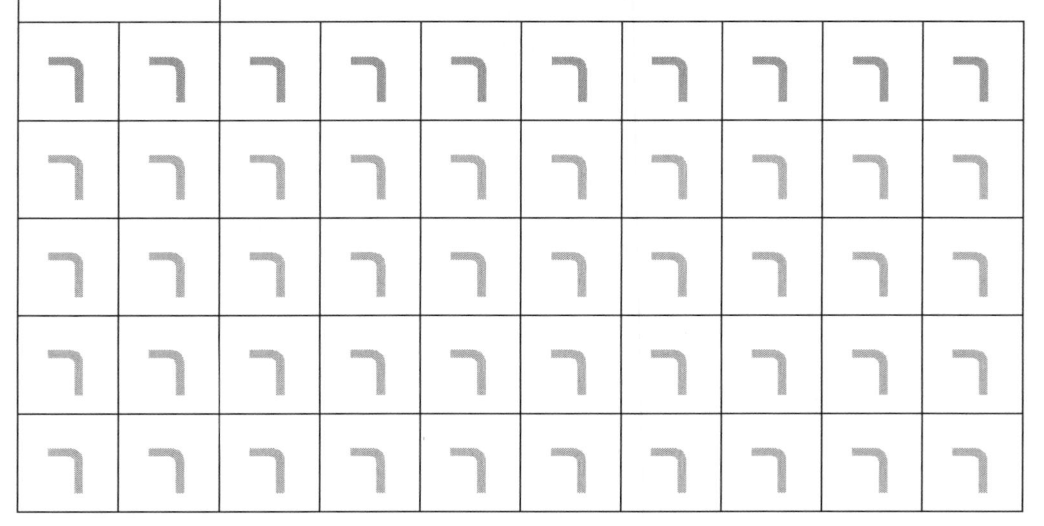

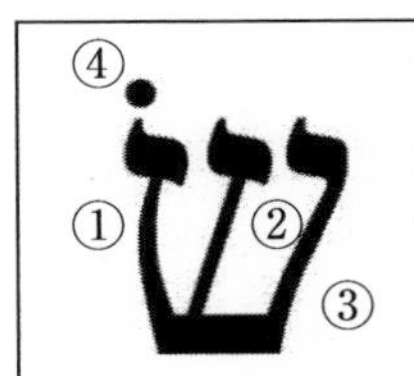

신 [*Sin*]   s 발음이며, 숫자 300을 의미합니다.

왼쪽부터 세로줄을 차례로 그린 뒤 마지막으로 점을 찍어줍니다.
"왼쪽 신발~ 오른쪽 쉰밥!" 기억하시죠?.

שׂ	שׂ	שׂ	שׂ	שׂ	שׂ	שׂ	שׂ	שׂ	שׂ
שׂ	שׂ	שׂ	שׂ	שׂ	שׂ	שׂ	שׂ	שׂ	שׂ
שׂ	שׂ	שׂ	שׂ	שׂ	שׂ	שׂ	שׂ	שׂ	שׂ
שׂ	שׂ	שׂ	שׂ	שׂ	שׂ	שׂ	שׂ	שׂ	שׂ
שׂ	שׂ	שׂ	שׂ	שׂ	שׂ	שׂ	שׂ	שׂ	שׂ

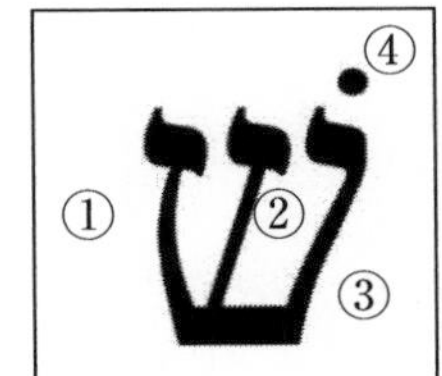

쉰 [*Shin*]   *sh* 발음이며, שׂ신과 마찬가지로 숫자 300을 의미합니다.

오른쪽에 점이 있을 뿐, 쓰는 순서 역시 שׂ신과 같습니다.
"왼쪽 신발~ 오른쪽 쉰밥!" 잊으면 안됩니다.

שׁ	שׁ	שׁ	שׁ	שׁ	שׁ	שׁ	שׁ	שׁ	שׁ
שׁ	שׁ	שׁ	שׁ	שׁ	שׁ	שׁ	שׁ	שׁ	שׁ
שׁ	שׁ	שׁ	שׁ	שׁ	שׁ	שׁ	שׁ	שׁ	שׁ
שׁ	שׁ	שׁ	שׁ	שׁ	שׁ	שׁ	שׁ	שׁ	שׁ
שׁ	שׁ	שׁ	שׁ	שׁ	שׁ	שׁ	שׁ	שׁ	שׁ

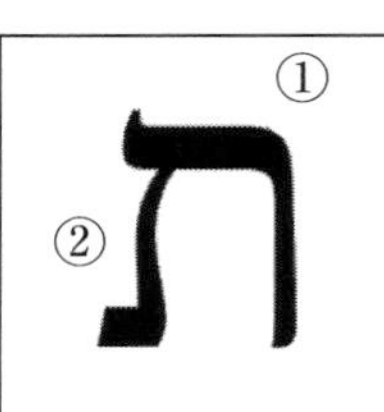

타브 [*Tav*] *t* 혹은 *th* 발음이며, 숫자 400을 의미합니다.

ה[헤]나 ח[헤트]와 비슷하지만, 마지막 세로선이 물결모양으로 구부러집니다.
마지막 글자까지 입으로 따라하며, 오른쪽에서 왼쪽으로! ◀———

ת	ת	ת	ת	ת	ת	ת	ת	ת	ת
ת	ת	ת	ת	ת	ת	ת	ת	ת	ת
ת	ת	ת	ת	ת	ת	ת	ת	ת	ת
ת	ת	ת	ת	ת	ת	ת	ת	ת	ת
ת	ת	ת	ת	ת	ת	ת	ת	ת	ת

벌써 둘째날 과제를 마무리하셨습니다. 첫째날보다 시간이 조금 단축되었나요? 오늘 과제를 잘 마치셨으니, 히브리어 알파벳 송을 열 번만 듣고 머리를 식히세요. 수고하셨습니다.

위 QR코드를 스마트폰으로 촬영하시면
히브리어 알파벳송 영상을 보실 수 있습니다.

둘째날 과제를 잘 마무리했다면, 날짜를 적어 보세요.

과제완료일 : 20 년 월 일

4 주완성 왕초보 히브리어 성경읽기

3rd Day

셋째날

수현북스

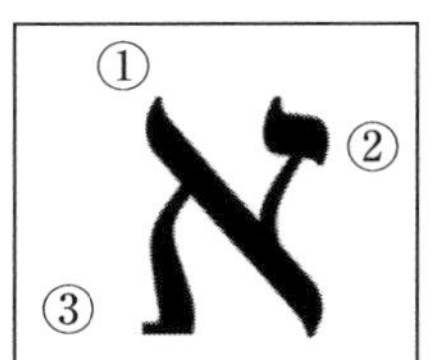

알렙 [*Alef*] 알렙은 발음상 묵음이며, 숫자 1을 의미합니다.

사선을 먼저 그은 뒤에 우측 뿔을 그리고 좌측 뿔을 내리면 됩니다.
이제 써나가는 방향이 조금 익숙해지셨나요? ←

א	א	א	א	א	א	א	א	א	א
א	א	א	א	א	א	א	א	א	א
א	א	א	א	א	א	א	א	א	א
א	א	א	א	א	א	א	א	א	א

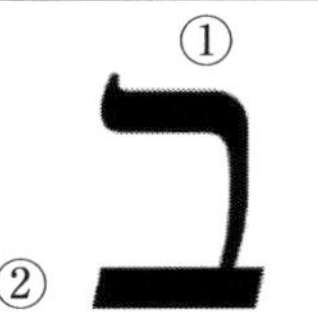

베트 [*Bet*] *b* 혹은 *bh* 발음이며, 숫자 2를 의미합니다.

길고 둥글게 ㄱ자 모양을 그린 후, 가로 선을 그으면 됩니다.
역시 오른쪽에서 왼쪽으로 써 나가시면 됩니다. ←

ב	ב	ב	ב	ב	ב	ב	ב	ב	ב
ב	ב	ב	ב	ב	ב	ב	ב	ב	ב
ב	ב	ב	ב	ב	ב	ב	ב	ב	ב
ב	ב	ב	ב	ב	ב	ב	ב	ב	ב

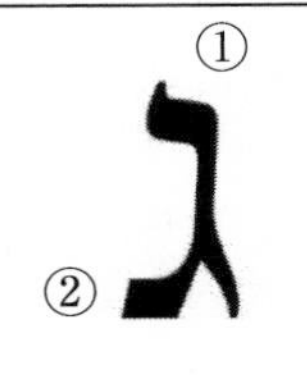

기믈 [*Gimel*] *g* 혹은 *gh* 발음이며, 숫자 3을 의미합니다.

상대적으로 넓이가 좁습니다. 오른쪽으로 내리고 왼쪽 꼬리를 그립니다.
아시죠? 꼭! 입으로 크게 따라 읽으면서 써야 합니다. ←

ג	ג	ג	ג	ג	ג	ג	ג	ג	ג
ג	ג	ג	ג	ג	ג	ג	ג	ג	ג
ג	ג	ג	ג	ג	ג	ג	ג	ג	ג
ג	ג	ג	ג	ג	ג	ג	ג	ג	ג

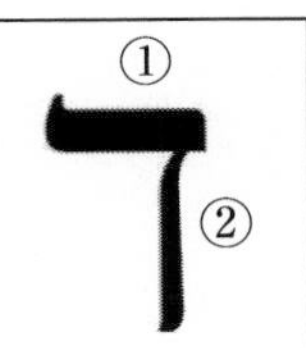

달렛 [*Dalet*] *d* 혹은 *dh* 발음이며, 숫자 4를 의미합니다.

가로로 긋고, 각을 주어 아래로 내립니다..
역시 오른쪽에서 왼쪽으로 써 나가시면 됩니다. ←

ד	ד	ד	ד	ד	ד	ד	ד	ד	ד
ד	ד	ד	ד	ד	ד	ד	ד	ד	ד
ד	ד	ד	ד	ד	ד	ד	ד	ד	ד
ד	ד	ד	ד	ד	ד	ד	ד	ד	ד

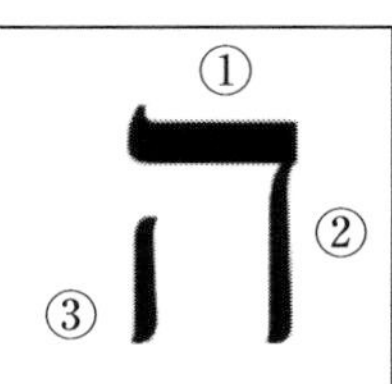

헤 [*He*] h 발음이며, 숫자 5를 의미합니다.

가로로 긋고 각을 주어 아래로 내린 후, 짧은 선을 내려 긋습니다..
오른쪽에서 왼쪽으로 써 나가시면 됩니다. ←

ה	ה	ה	ה	ה	ה	ה	ה	ה	ה
ה	ה	ה	ה	ה	ה	ה	ה	ה	ה
ה	ה	ה	ה	ה	ה	ה	ה	ה	ה
ה	ה	ה	ה	ה	ה	ה	ה	ה	ה

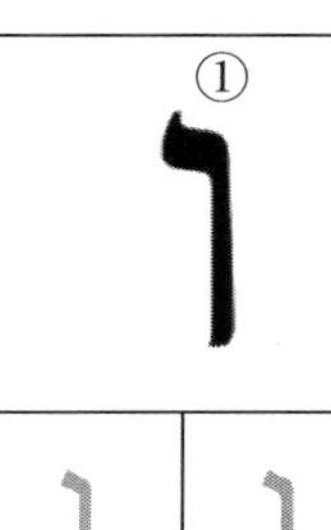

바브 [*Vav*] *v* 발음이며, 숫자 6을 의미합니다.

상대적으로 좁은 글자입니다.
입으로 크게 따라 읽으면서 쓰고 계시죠? ←

ו	ו	ו	ו	ו	ו	ו	ו	ו	ו
ו	ו	ו	ו	ו	ו	ו	ו	ו	ו
ו	ו	ו	ו	ו	ו	ו	ו	ו	ו
ו	ו	ו	ו	ו	ו	ו	ו	ו	ו

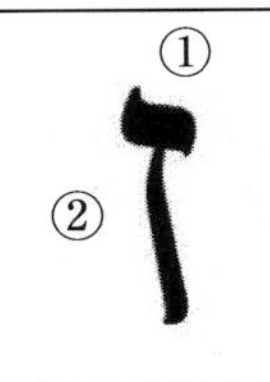

자인 [*Zayin*] 영어의 *z* 발음이며, 숫자 7을 의미합니다.

상대적으로 좁은 글자입니다.
오른쪽에서 왼쪽으로 써 나가시면 됩니다. ←

ז	ז	ז	ז	ז	ז	ז	ז	ז	ז
ז	ז	ז	ז	ז	ז	ז	ז	ז	ז
ז	ז	ז	ז	ז	ז	ז	ז	ז	ז
ז	ז	ז	ז	ז	ז	ז	ז	ז	ז

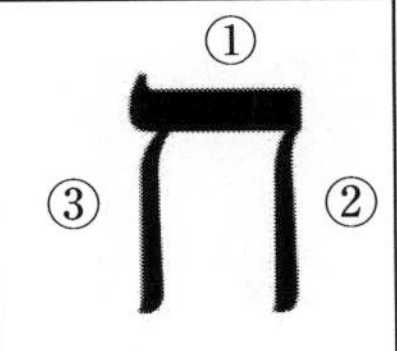

헤트 [*Chet*] *ḥ*, '크'에 가까운 'ㅎ' 발음이며, 숫자 8을 의미합니다.

ה와 비슷하나 왼쪽 세로줄이 깁니다.
꼭! 한 글자씩 입으로 따라 읽으면서 쓰세요. ←

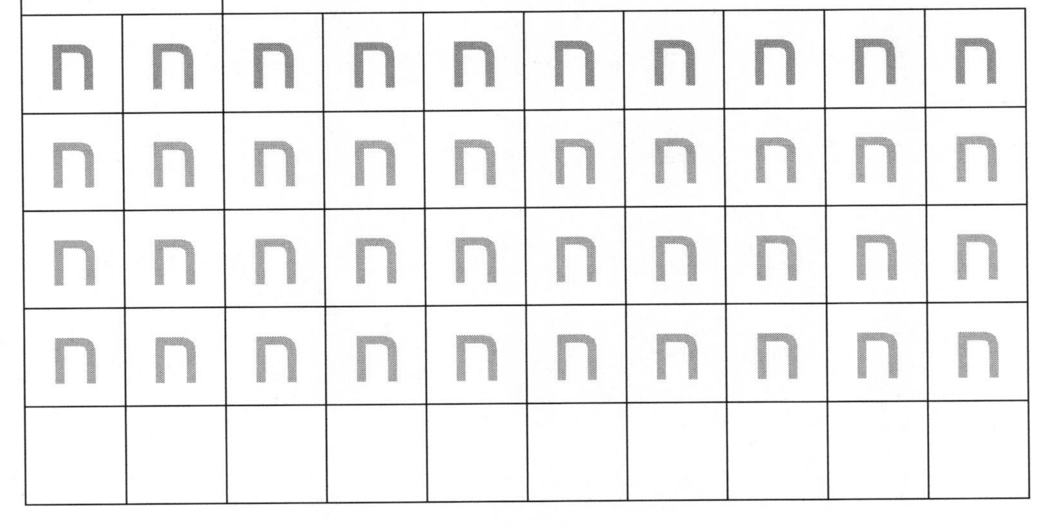

ח	ח	ח	ח	ח	ח	ח	ח	ח	ח
ח	ח	ח	ח	ח	ח	ח	ח	ח	ח
ח	ח	ח	ח	ח	ח	ח	ח	ח	ח
ח	ח	ח	ח	ח	ח	ח	ח	ח	ח

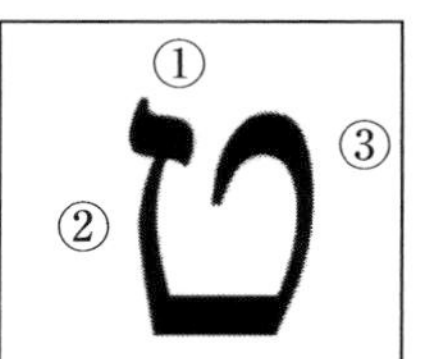

테트 [*Tet*] *t* 발음이며, 숫자 9를 의미합니다.

짧은 가로줄을 긋고 반시계 방향으로 돌려 꼬리를 구멍에 넣습니다.
오른쪽에서 왼쪽으로 써 나가시면 됩니다. ←

ט	ט	ט	ט	ט	ט	ט	ט	ט	ט
ט	ט	ט	ט	ט	ט	ט	ט	ט	ט
ט	ט	ט	ט	ט	ט	ט	ט	ט	ט
ט	ט	ט	ט	ט	ט	ט	ט	ט	ט

요드 [*Yod*] 영어의 *y* 발음이며, 숫자 10을 의미합니다.

히브리어 알파벳 중에 가장 작은 글자입니다.
한 글자씩 따라 읽으며 쓰고 계시죠? ←

י	י	י	י	י	י	י	י	י	י
י	י	י	י	י	י	י	י	י	י
י	י	י	י	י	י	י	י	י	י
י	י	י	י	י	י	י	י	י	י

카프 [*Kaf*] *k* 혹은 *kh* 발음이며, 숫자 20을 의미합니다.

영어 C를 거꾸로 쓰듯이 한 번에 그려줍니다.
오른쪽에서 왼쪽으로 써 나간다는 걸 명심하세요. ←

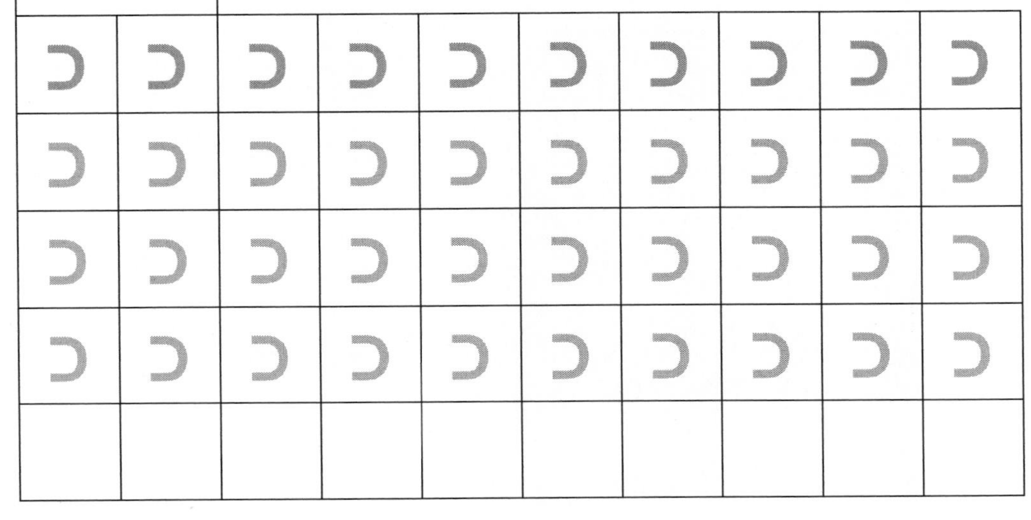

카프 꼬리형 | כ[카프]가 단어의 끝에 오면 꼬리형으로 바뀝니다.

ד[달렛]과 비슷하게 생겼지만, 내려오는 꼬리가 더 깁니다.
역시 오른쪽에서 왼쪽으로 써 나가시면 됩니다. ←

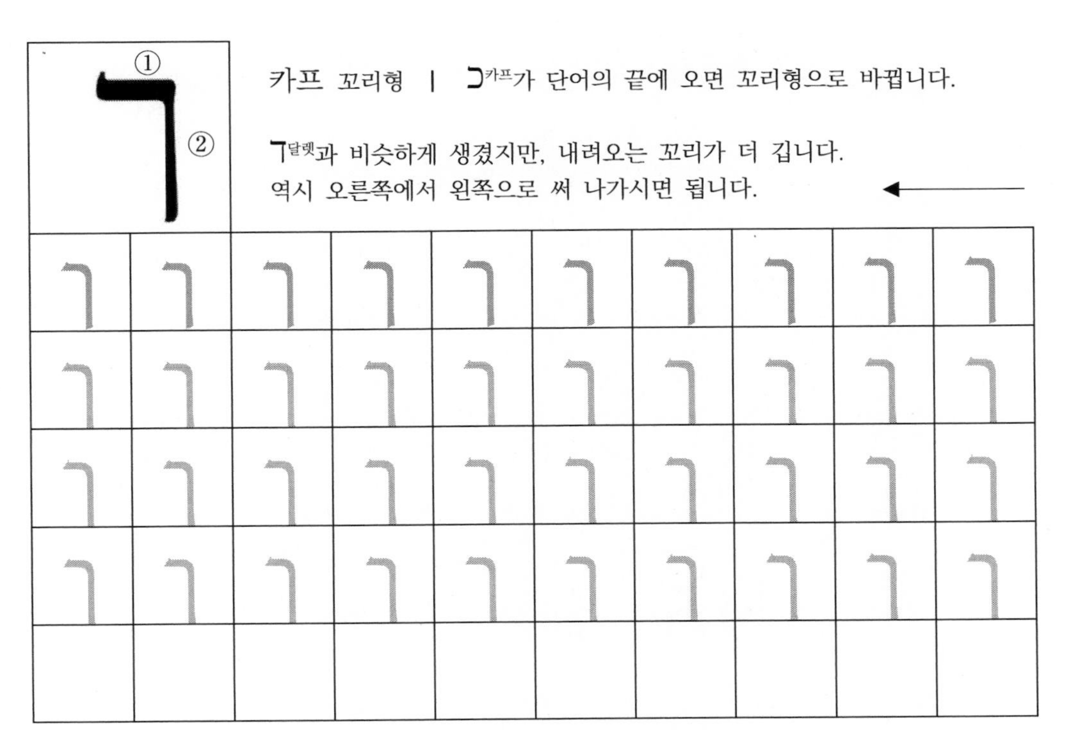

히브리어 알파벳 글자들 중 כ[카프]처럼 꼬리형이 있는 글자는 다섯 개가 있습니다. 히브리어 알파벳 꼬리형에 대해 기억 나시죠?

기본형	כ	מ	נ	פ	צ
꼬리형	ך	ם	ן	ף	ץ

이 다섯 글자 역시 굳이 외우실 필요 없습니다. 그냥 "이런 글자들이 있구나" 정도로만 여기고 지나가시면 됩니다. ך[카프 꼬리형]의 경우, 모음이 붙어서 모양이 달라지는 경우도 있지만, 지금 외우실 필요는 전혀 없습니다. 눈으로만 주욱 훑어보고 넘어가시면 됩니다.

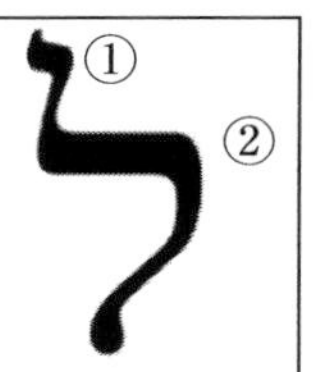

라메드 [*Lamed*] '을' 발음이며, 숫자30을 의미합니다.

오른쪽에서 왼쪽으로 써 나가되 입으로 따라 읽으면서 쓰는 것이 가장 중요하다는 것을 잊지 마세요.

ל	ל	ל	ל	ל	ל	ל	ל	ל	ל
ל	ל	ל	ל	ל	ל	ל	ל	ל	ל
ל	ל	ל	ל	ל	ל	ל	ל	ל	ל
ל	ל	ל	ל	ל	ל	ל	ל	ל	ל

멤 [*Mem*] *m* 발음이며, 숫자 40을 의미합니다.

한글 ㅁ[미음]을 그리듯 세로선을 먼저 내리고 그려나갑니다.
입으로 따라 읽으면서 써야 합니다. 절대 잊지 마세요. ←

מ	מ	מ	מ	מ	מ	מ	מ	מ	מ
מ	מ	מ	מ	מ	מ	מ	מ	מ	מ
מ	מ	מ	מ	מ	מ	מ	מ	מ	מ
מ	מ	מ	מ	מ	מ	מ	מ	מ	מ

ם

멤 꼬리형 | מ[멤]이 단어의 끝에 오면 꼬리형으로 바뀝니다.

어느 방향으로든 네모를 그리면 됩니다.
꼬리형을 쓸 때도 꼭 읽으면서 쓰세요. ←

ם	ם	ם	ם	ם	ם	ם	ם	ם	ם
ם	ם	ם	ם	ם	ם	ם	ם	ם	ם
ם	ם	ם	ם	ם	ם	ם	ם	ם	ם
ם	ם	ם	ם	ם	ם	ם	ם	ם	ם

נ ① ② ③	눈 [*Nun*] *n* 발음이며, 숫자 50을 의미합니다. ו[바브]나 ז[자인]처럼 상대적으로 좁은 글자입니다. 오른쪽에서 왼쪽으로 써 나가시면 됩니다. ←								
נ	נ	נ	נ	נ	נ	נ	נ	נ	נ
נ	נ	נ	נ	נ	נ	נ	נ	נ	נ
נ	נ	נ	נ	נ	נ	נ	נ	נ	נ
נ	נ	נ	נ	נ	נ	נ	נ	נ	נ

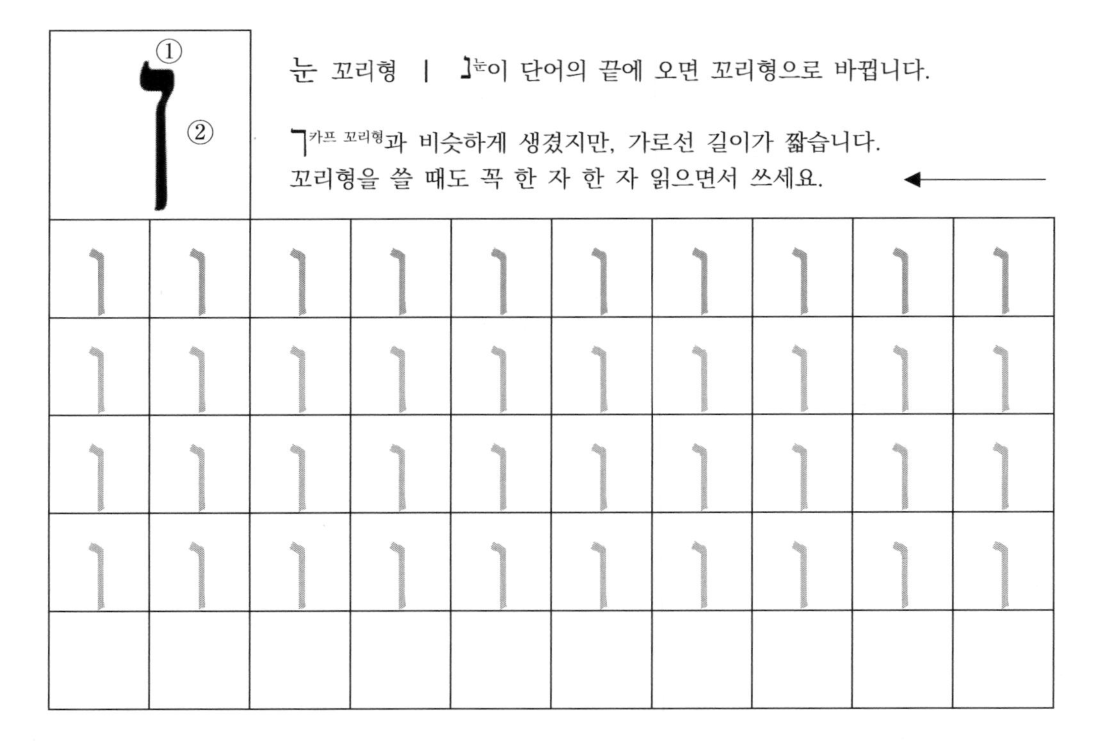

눈 꼬리형 | נ[눈]이 단어의 끝에 오면 꼬리형으로 바뀝니다.

ך[카프 꼬리형]과 비슷하게 생겼지만, 가로선 길이가 짧습니다.
꼬리형을 쓸 때도 꼭 한 자 한 자 읽으면서 쓰세요.

ן ① ②									
ן	ן	ן	ן	ן	ן	ן	ן	ן	ן
ן	ן	ן	ן	ן	ן	ן	ן	ן	ן
ן	ן	ן	ן	ן	ן	ן	ן	ן	ן
ן	ן	ן	ן	ן	ן	ן	ן	ן	ן

싸멕 [*Samech*] *s* 발음이며, 숫자 60을 의미합니다.

시작점에서 둥글게 한 번에 그리면 됩니다.

ס	ס	ס	ס	ס	ס	ס	ס	ס	ס
ס	ס	ס	ס	ס	ס	ס	ס	ס	ס
ס	ס	ס	ס	ס	ס	ס	ס	ס	ס
ס	ס	ס	ס	ס	ס	ס	ס	ס	ס

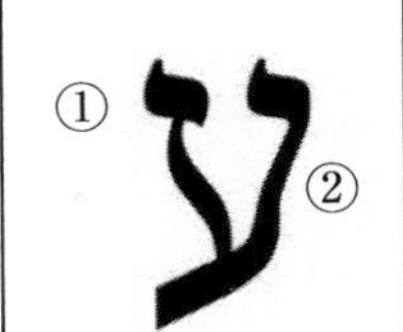

아인 [*Ayin*] א알렙처럼 발음이 없는 묵음이며, 숫자 70을 의미

영문자 y를 쓰듯이 그리면 됩니다.
따라 읽으면서 써야 한다는 것을 절대 잊으시면 안됩니다.

ע	ע	ע	ע	ע	ע	ע	ע	ע	ע
ע	ע	ע	ע	ע	ע	ע	ע	ע	ע
ע	ע	ע	ע	ע	ע	ע	ע	ע	ע
ע	ע	ע	ע	ע	ע	ע	ע	ע	ע

페 [*Pe*] *p* 혹은 *f* 발음이며, 숫자 80을 의미합니다.

ב카프를 쓴 후 한글 'ㄴ'처럼 그려줍니다.
입으로도 잘 따라하면서 쓰고 계시죠?

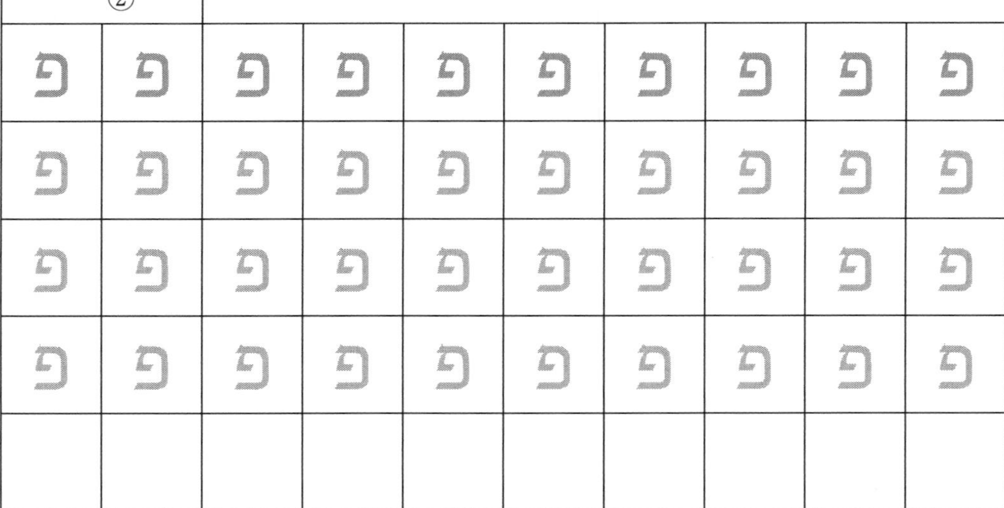

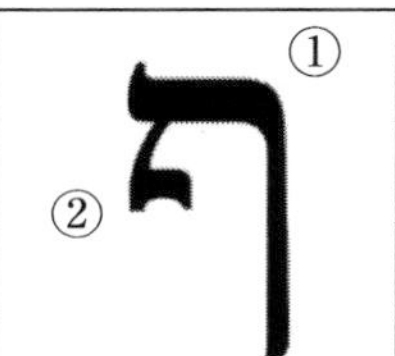

페 꼬리형 | פ페가 단어의 끝에 오면 꼬리형으로 바뀝니다.

꼬리형이기 때문에 길게 내려줍니다.
꼬리형도 입으로 따라하면서 쓰는 것 잊지 않으셨죠?

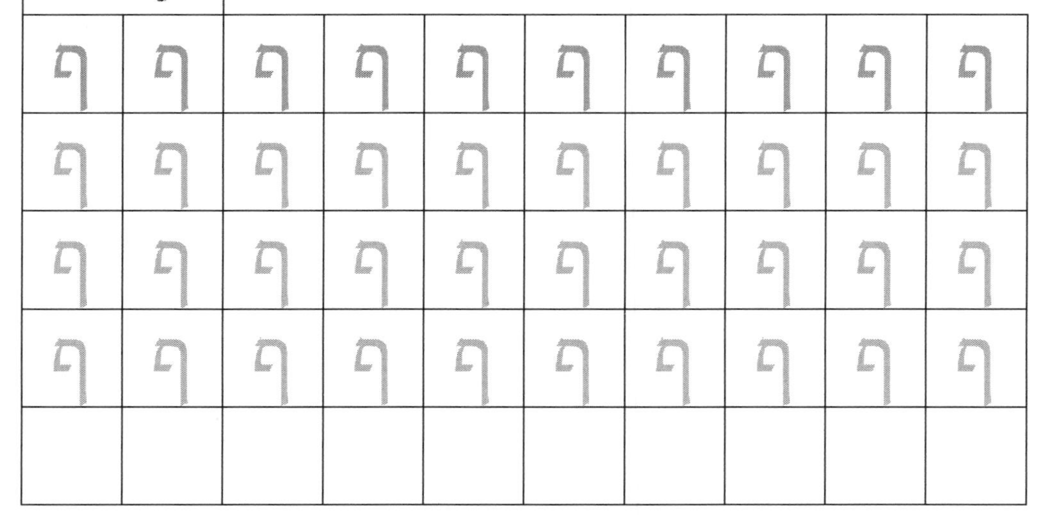

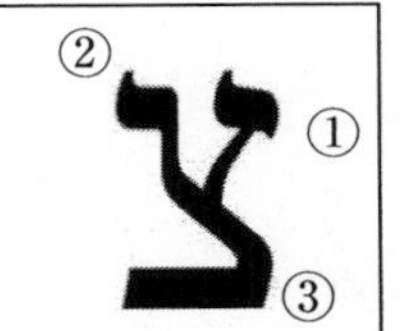

차디 [*Tsadi*] 'ㅊ' 혹은 'ㅉ' 발음이며, 숫자 90을 의미합니다.

오른쪽 뿔을 먼저 그린 후 좌상단에서 내려오며 단번에 그립니다.
읽으면서 쓰고, 읽으면서 쓰고, 읽으면서 쓰세요. ←

צ	צ	צ	צ	צ	צ	צ	צ	צ	צ
צ	צ	צ	צ	צ	צ	צ	צ	צ	צ
צ	צ	צ	צ	צ	צ	צ	צ	צ	צ
צ	צ	צ	צ	צ	צ	צ	צ	צ	צ

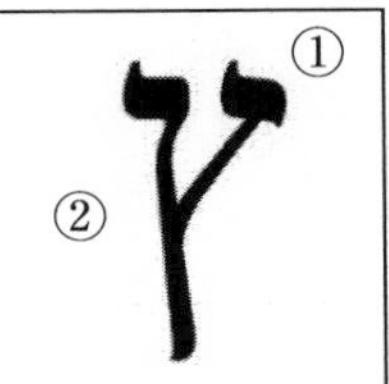

차디 꼬리형 | צ차디가 단어의 끝에 오면 꼬리형으로 바뀝니다.

오른쪽 뿔을 먼저 그린 후 세로선을 내려줍니다.
역시 오른쪽에서 왼쪽으로 써 나가시면 됩니다. ←

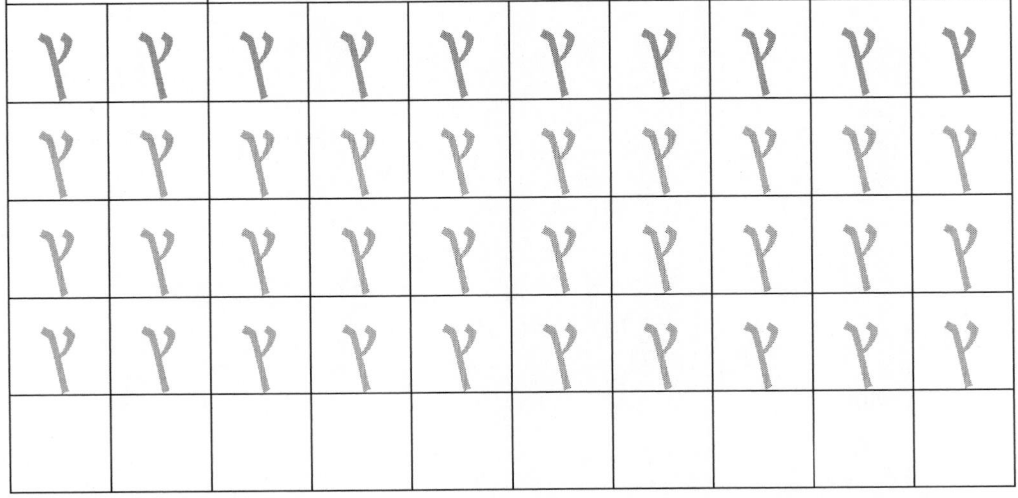

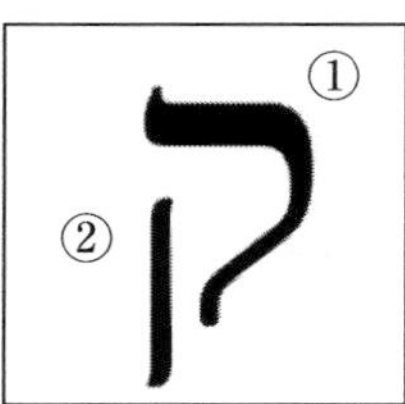

코프 [*Qof*] *q*나 강한 *k*의 발음이며, 숫자 100을 의미합니다.

영어 대문자 P와 비슷한 모양입니다.
계속 알파벳을 읽으며 오른쪽에서부터 따라 쓰고 계시죠? ←

ק	ק	ק	ק	ק	ק	ק	ק	ק	ק
ק	ק	ק	ק	ק	ק	ק	ק	ק	ק
ק	ק	ק	ק	ק	ק	ק	ק	ק	ק
ק	ק	ק	ק	ק	ק	ק	ק	ק	ק

레쉬 [*Resh*] *r* 발음이며, 숫자 200을 의미합니다.

ב[베트]에서 밑줄만 없다고 생각하시면 됩니다.
오른쪽에서 왼쪽으로 쓰는 걸 깜빡하시면 안됩니다. ←

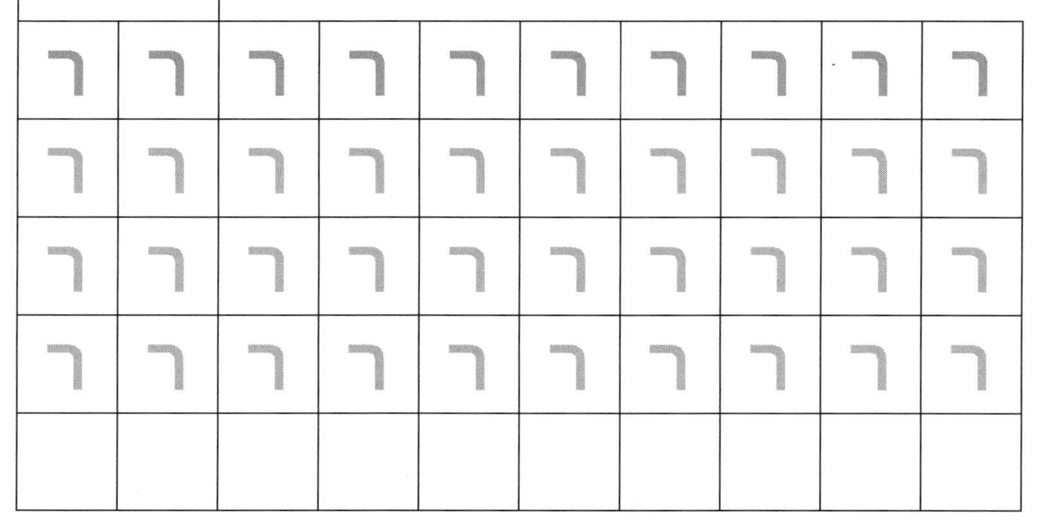

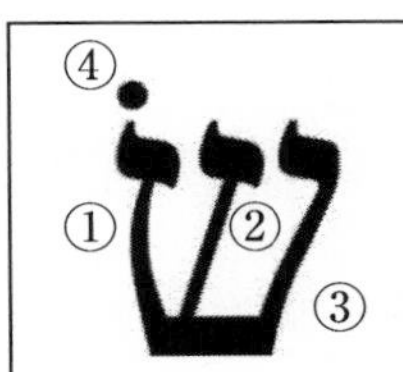

신 [*Sin*] s 발음이며, 숫자 300을 의미합니다.

왼쪽부터 세로줄을 차례로 그린 뒤 마지막으로 점을 찍어줍니다.
"왼쪽 신발~ 오른쪽 쉰밥!" 기억하시죠?.

שׂ	שׂ	שׂ	שׂ	שׂ	שׂ	שׂ	שׂ	שׂ	שׂ
שׂ	שׂ	שׂ	שׂ	שׂ	שׂ	שׂ	שׂ	שׂ	שׂ
שׂ	שׂ	שׂ	שׂ	שׂ	שׂ	שׂ	שׂ	שׂ	שׂ
שׂ	שׂ	שׂ	שׂ	שׂ	שׂ	שׂ	שׂ	שׂ	שׂ

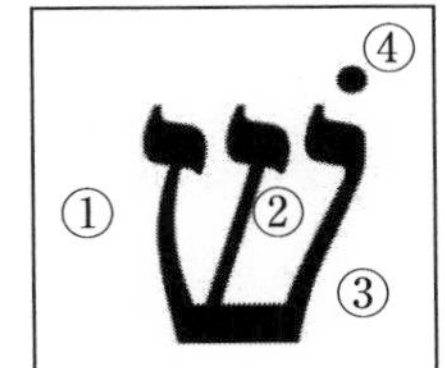

쉰 [*Shin*] *sh* 발음이며, שׂ신과 마찬가지로 숫자 300을 의미합니다.

오른쪽에 점이 있을 뿐, 쓰는 순서 역시 שׂ신과 같습니다.
"왼쪽 신발~ 오른쪽 쉰밥!" 잊으면 안됩니다.

שׁ	שׁ	שׁ	שׁ	שׁ	שׁ	שׁ	שׁ	שׁ	שׁ
שׁ	שׁ	שׁ	שׁ	שׁ	שׁ	שׁ	שׁ	שׁ	שׁ
שׁ	שׁ	שׁ	שׁ	שׁ	שׁ	שׁ	שׁ	שׁ	שׁ
שׁ	שׁ	שׁ	שׁ	שׁ	שׁ	שׁ	שׁ	שׁ	שׁ

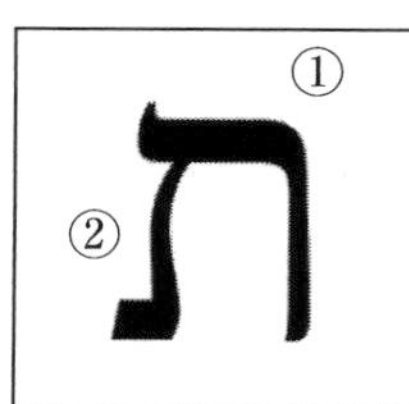

타브 [*Tav*] *t* 혹은 *th* 발음이며, 숫자 400을 의미합니다.

ה[헤]나 ח[헤트]와 비슷하지만, 마지막 세로선이 물결모양으로 구부러집니다.
마지막 글자까지 입으로 따라하며, 오른쪽에서 왼쪽으로! ←

ת	ת	ת	ת	ת	ת	ת	ת	ת	ת
ת	ת	ת	ת	ת	ת	ת	ת	ת	ת
ת	ת	ת	ת	ת	ת	ת	ת	ת	ת
ת	ת	ת	ת	ת	ת	ת	ת	ת	ת

벌써 셋째날 과제를 끝내셨습니다. 여러분은 꼬리형을 포함한 히브리어 알파벳을 3일 동안 읽고 써보았습니다. 오늘 과제를 잘 마치셨으니, 히브리어 알파벳송을 열 번만 듣고 머리를 식히세요. 수고하셨습니다.

위 QR코드를 스마트폰으로 촬영하시면
히브리어 알파벳송 영상을 보실 수 있습니다.

셋째날 과제를 잘 마무리했다면, 날짜를 적어 보세요.

과제완료일 : 20 년 월 일

4 주완성 왕초보 히브리어 성경읽기
4th Day
넷째날

SUHYUN
BOOKS
수현북스

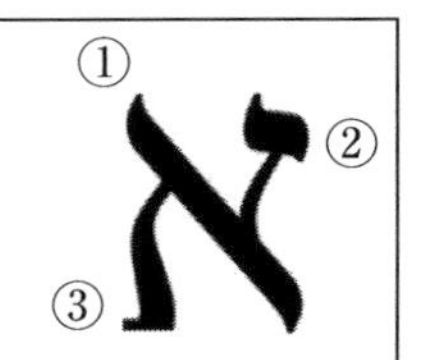

알렙 [*Alef*] 알렙은 발음상 묵음이며, 숫자 1을 의미합니다.

사선을 먼저 그은 뒤에 우측 뿔을 그리고 좌측 뿔을 내리면 됩니다.
따라쓰기 색깔이 조금 연해졌지만, 어렵진 않으시죠? ◀───

א	א	א	א	א	א	א	א	א	א
א	א	א	א	א	א	א	א	א	א
א	א	א	א	א	א	א	א	א	א

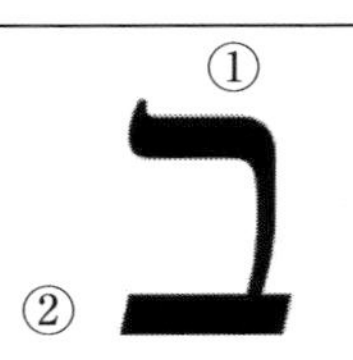

베트 [*Bet*] *b* 혹은 *bh* 발음이며, 숫자 2를 의미합니다.

길고 둥글게 ㄱ자 모양을 그린 후, 가로 선을 그으면 됩니다.
빈 칸도 생겼지만, 빈 칸도 충분히 잘 채우실 수 있겠죠? ◀───

ב	ב	ב	ב	ב	ב	ב	ב	ב	ב
ב	ב	ב	ב	ב	ב	ב	ב	ב	ב
ב	ב	ב	ב	ב	ב	ב	ב	ב	ב

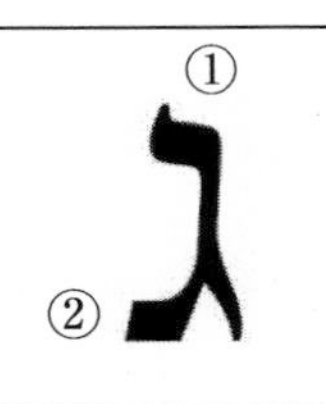

기믈 [*Gimel*] *g* 혹은 *gh* 발음이며, 숫자 3을 의미합니다.

상대적으로 넓이가 좁습니다. 오른쪽으로 내리고 왼쪽 꼬리를 그립니다.
히브리어는 오른쪽에서 왼쪽으로 쓴다는 걸 잊지 마세요. ←

ג	ג	ג	ג	ג	ג	ג	ג	ג	ג
ג	ג	ג	ג	ג	ג	ג	ג	ג	ג
ג	ג	ג	ג	ג	ג	ג	ג	ג	ג

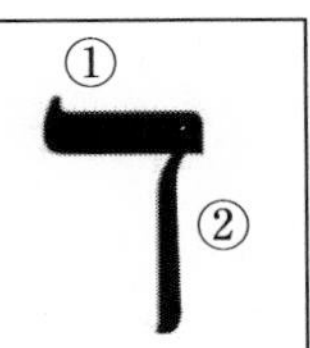

달렛 [*Dalet*] *d* 혹은 *dh* 발음이며, 숫자 4를 의미합니다.

가로로 긋고, 각을 주어 아래로 내립니다..

←

ד	ד	ד	ד	ד	ד	ד	ד	ד	ד
ד	ד	ד	ד	ד	ד	ד	ד	ד	ד
ד	ד	ד	ד	ד	ד	ד	ד	ד	ד

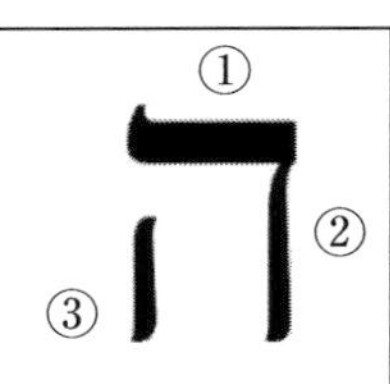

헤 [*He*] h 발음이며, 숫자 5를 의미합니다.

가로로 긋고 각을 주어 아래로 내린 후, 짧은 선을 내려 긋습니다..
읽으면서 쓰고, 읽으면서 쓰고, 읽으면서 쓰고…

ה	ה	ה	ה	ה	ה	ה	ה	ה	ה
ה	ה	ה	ה	ה	ה	ה	ה	ה	ה
ה	ה	ה	ה	ה	ה	ה	ה	ה	ה

바브 [*Vav*] *v* 발음이며, 숫자 6을 의미합니다.

상대적으로 좁은 글자입니다.

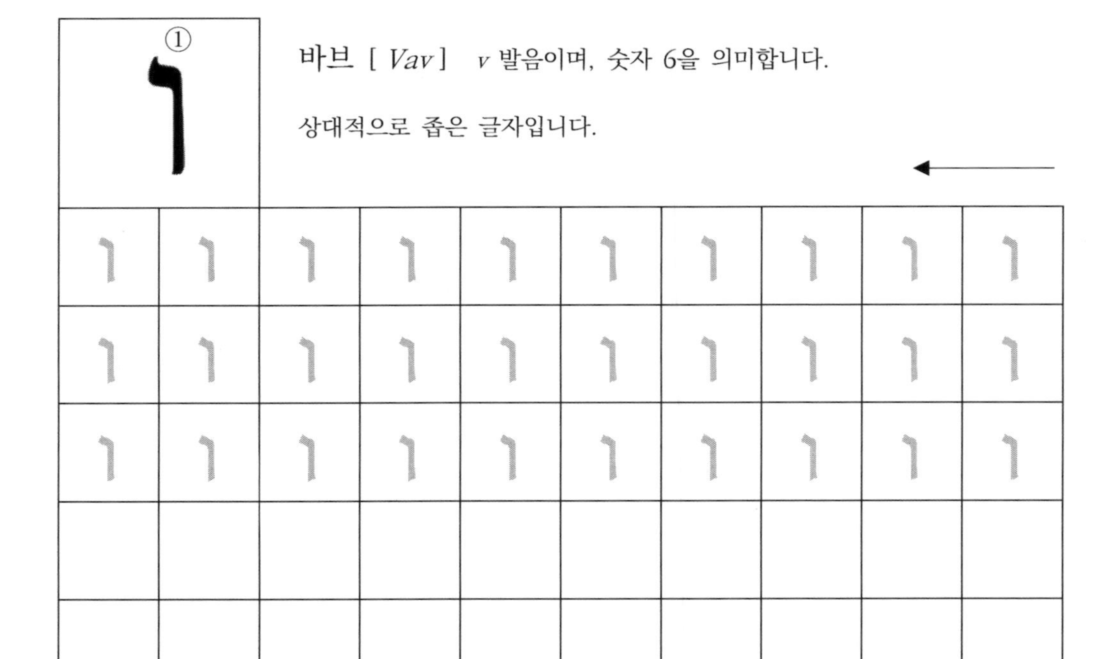

자인 [*Zayin*] 영어의 *z* 발음이며, 숫자 7을 의미합니다.

상대적으로 좁은 글자입니다.

←

ז	ז	ז	ז	ז	ז	ז	ז	ז	ז
ז	ז	ז	ז	ז	ז	ז	ז	ז	ז
ז	ז	ז	ז	ז	ז	ז	ז	ז	ז

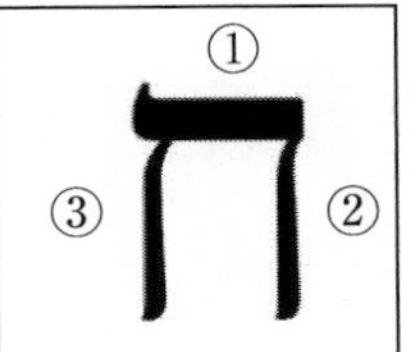

헤트 [*Chet*] *ḥ*, '크'에 가까운 'ㅎ' 발음이며, 숫자 8을 의미합니다.

ה와 비슷하나 왼쪽 세로줄이 깁니다.

←

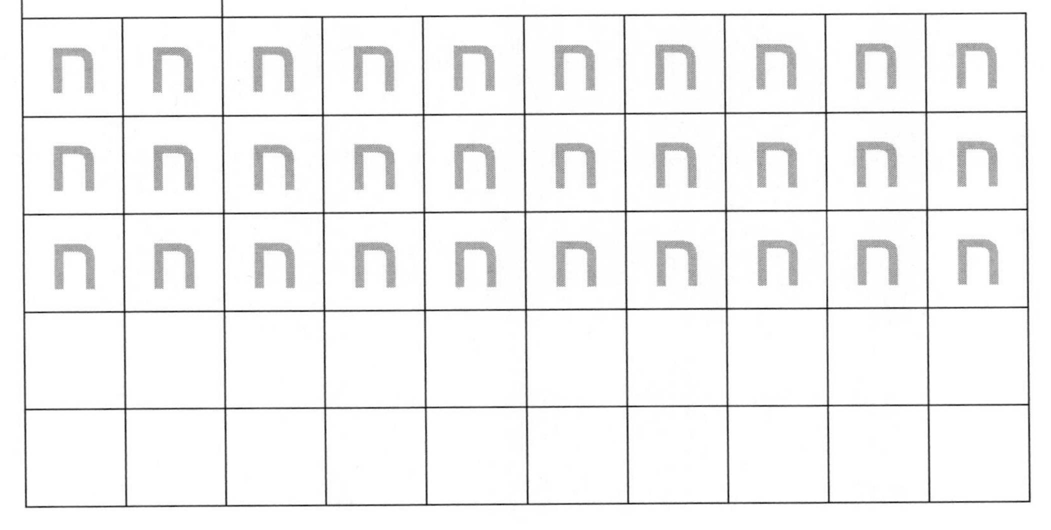

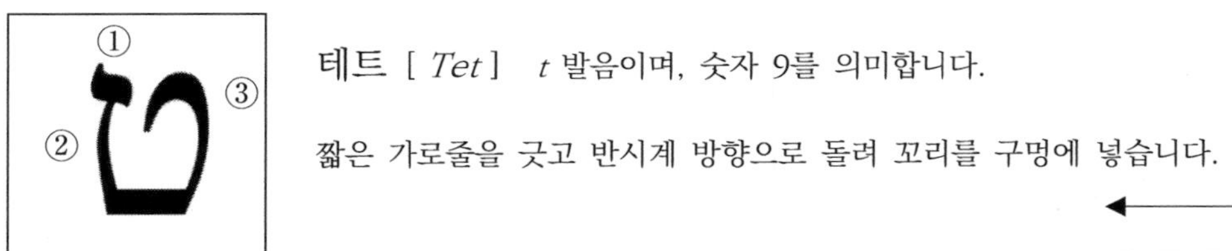

테트 [*Tet*] *t* 발음이며, 숫자 9를 의미합니다.

짧은 가로줄을 긋고 반시계 방향으로 돌려 꼬리를 구멍에 넣습니다.

ט	ט	ט	ט	ט	ט	ט	ט	ט	ט
ט	ט	ט	ט	ט	ט	ט	ט	ט	ט
ט	ט	ט	ט	ט	ט	ט	ט	ט	ט

① י

요드 [*Yod*] 영어의 *y* 발음이며, 숫자 10을 의미합니다.

히브리어 알파벳 중에 가장 작은 글자입니다.

י	י	י	י	י	י	י	י	י	י
י	י	י	י	י	י	י	י	י	י
י	י	י	י	י	י	י	י	י	י

כ ①

카프 [*Kaf*]　*k* 혹은 *kh* 발음이며, 숫자 20을 의미합니다.

영어 C를 거꾸로 쓰듯이 한 번에 그려줍니다.

←

כ	כ	כ	כ	כ	כ	כ	כ	כ	כ
כ	כ	כ	כ	כ	כ	כ	כ	כ	כ
כ	כ	כ	כ	כ	כ	כ	כ	כ	כ

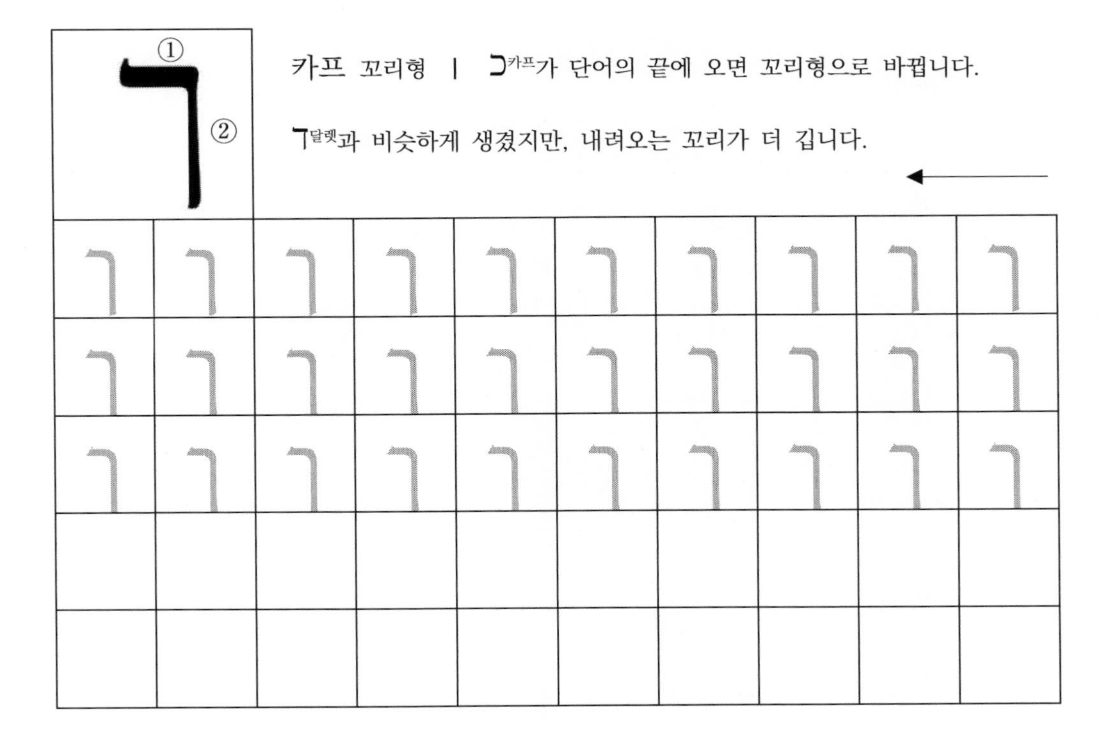

히브리어 알파벳 글자들 중 כ카프처럼 꼬리형이 있는 글자는 다섯 개가 있습니다. 히브리어 알파벳 꼬리형에 대해 기억 나시죠?

기본형	כ	מ	נ	פ	צ
꼬리형	ך	ם	ן	ף	ץ

이 다섯 글자 역시 굳이 외우실 필요 없습니다. 그냥 "이런 글자들이 있구나" 정도로만 여기고 지나가시면 됩니다. ך카프 꼬리형의 경우, 모음이 붙어서 모양이 달라지는 경우도 있지만, 지금 외우실 필요는 전혀 없습니다. 눈으로만 주욱 훑어보고 넘어가시면 됩니다.

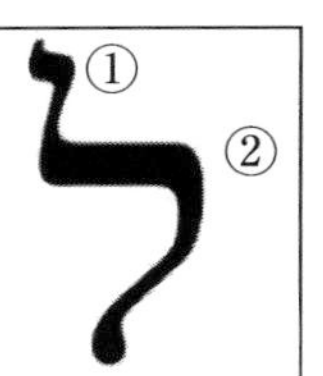

라메드 [*Lamed*] '을' 발음이며, 숫자30을 의미합니다.

읽으면서 쓰고, 읽으면서 쓰고, 읽으면서 쓰고…
입과 눈과 귀와 손이 사랑의 연합을 이루어야 합니다.

ל	ל	ל	ל	ל	ל	ל	ל	ל	ל
ל	ל	ל	ל	ל	ל	ל	ל	ל	ל
ל	ל	ל	ל	ל	ל	ל	ל	ל	ל

멤 [*Mem*] *m* 발음이며, 숫자 40을 의미합니다.

한글 ㅁ[미음]을 그리듯 세로선을 먼저 내리고 그려나갑니다.

←

מ	מ	מ	מ	מ	מ	מ	מ	מ	מ
מ	מ	מ	מ	מ	מ	מ	מ	מ	מ
מ	מ	מ	מ	מ	מ	מ	מ	מ	מ

ם

멤 꼬리형 | מ[멤]이 단어의 끝에 오면 꼬리형으로 바뀝니다.

어느 방향으로든 네모를 그리면 됩니다.

←

ם	ם	ם	ם	ם	ם	ם	ם	ם	ם
ם	ם	ם	ם	ם	ם	ם	ם	ם	ם
ם	ם	ם	ם	ם	ם	ם	ם	ם	ם

נ ① ② ③

눈 [*Nun*] *n* 발음이며, 숫자 50을 의미합니다.

ו바브나 ז자인처럼 상대적으로 좁은 글자입니다.
오른쪽에서 왼쪽으로 써나가고 계시죠?

←

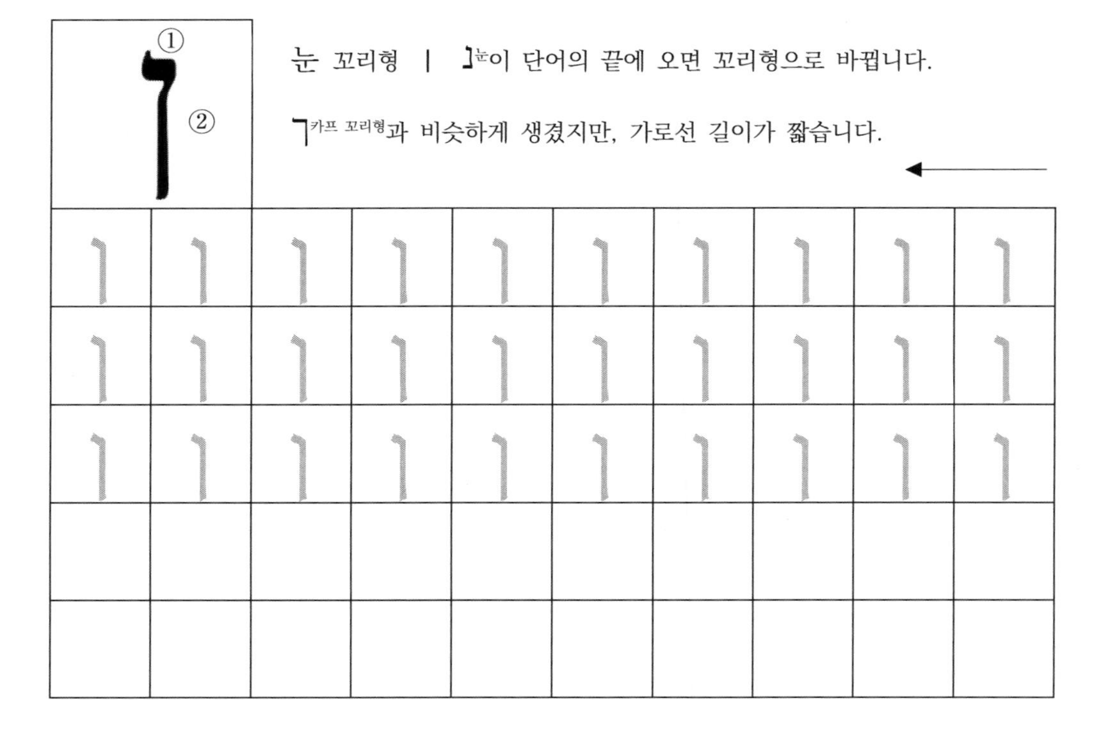

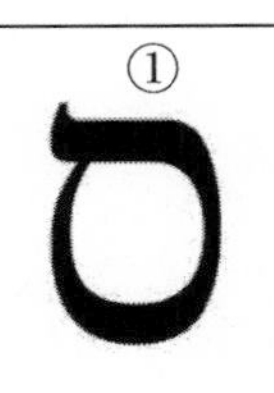

싸멕 [*Samech*] *s* 발음이며, 숫자 60을 의미합니다.

시작점에서 둥글게 한 번에 그리면 됩니다.

←

ס	ס	ס	ס	ס	ס	ס	ס	ס	ס
ס	ס	ס	ס	ס	ס	ס	ס	ס	ס
ס	ס	ס	ס	ס	ס	ס	ס	ס	ס

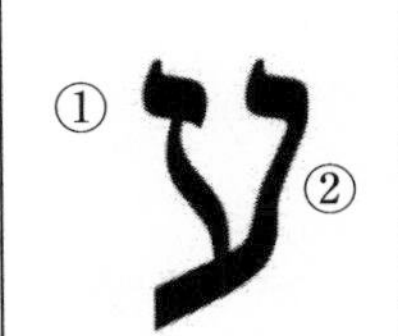

아인 [*Ayin*] א알렙처럼 발음이 없는 묵음이며, 숫자 70을 의미

영문자 y를 쓰듯이 그리면 됩니다.

←

ע	ע	ע	ע	ע	ע	ע	ע	ע	ע
ע	ע	ע	ע	ע	ע	ע	ע	ע	ע
ע	ע	ע	ע	ע	ע	ע	ע	ע	ע

페 [*Pe*] *p* 혹은 *f* 발음이며, 숫자 80을 의미합니다.

כ카프를 쓴 후 한글 'ㄴ'처럼 그려줍니다.

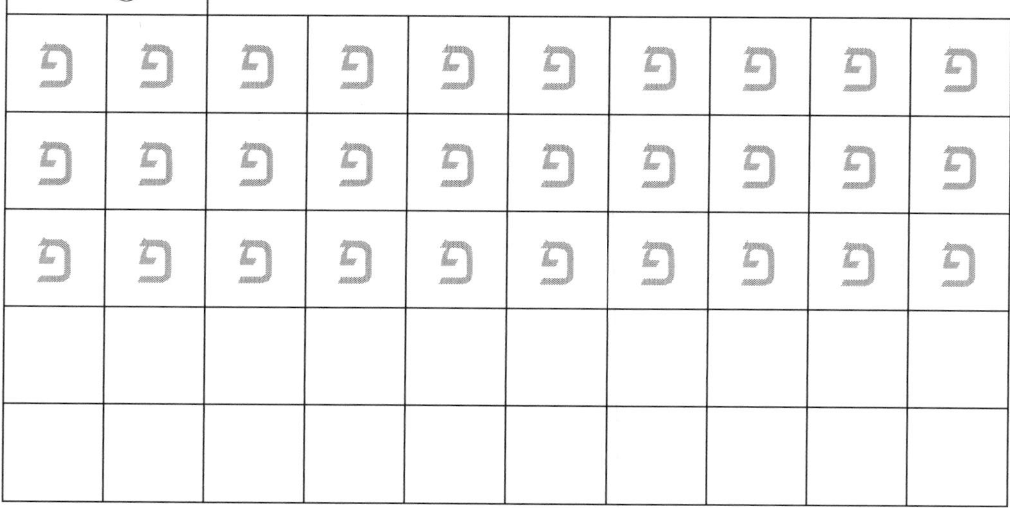

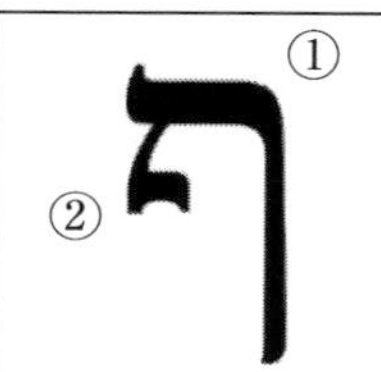

페 꼬리형 | פ페가 단어의 끝에 오면 꼬리형으로 바뀝니다.

꼬리형이기 때문에 길게 내려줍니다.

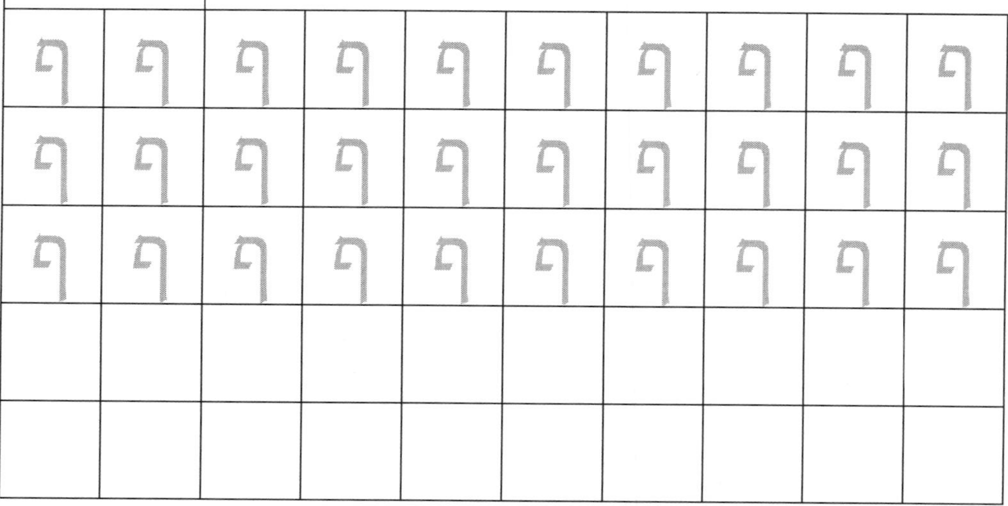

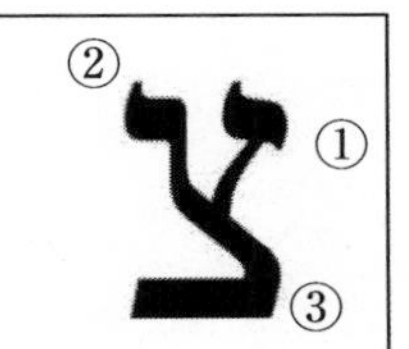

차디 [*Tsadi*] 'ㅊ' 혹은 'ㅉ' 발음이며, 숫자 90을 의미합니다.

오른쪽 뿔을 먼저 그린 후 좌상단에서 내려오며 단번에 그립니다.

←

צ	צ	צ	צ	צ	צ	צ	צ	צ	צ
צ	צ	צ	צ	צ	צ	צ	צ	צ	צ
צ	צ	צ	צ	צ	צ	צ	צ	צ	צ

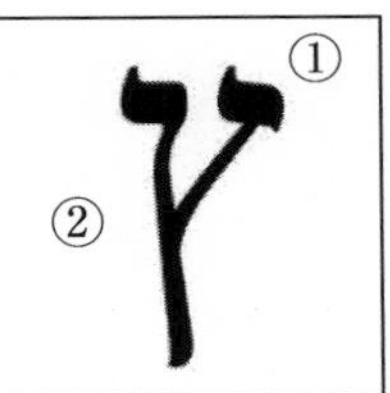

차디 꼬리형 | צ차디가 단어의 끝에 오면 꼬리형으로 바뀝니다.

오른쪽 뿔을 먼저 그린 후 세로선을 내려줍니다.

←

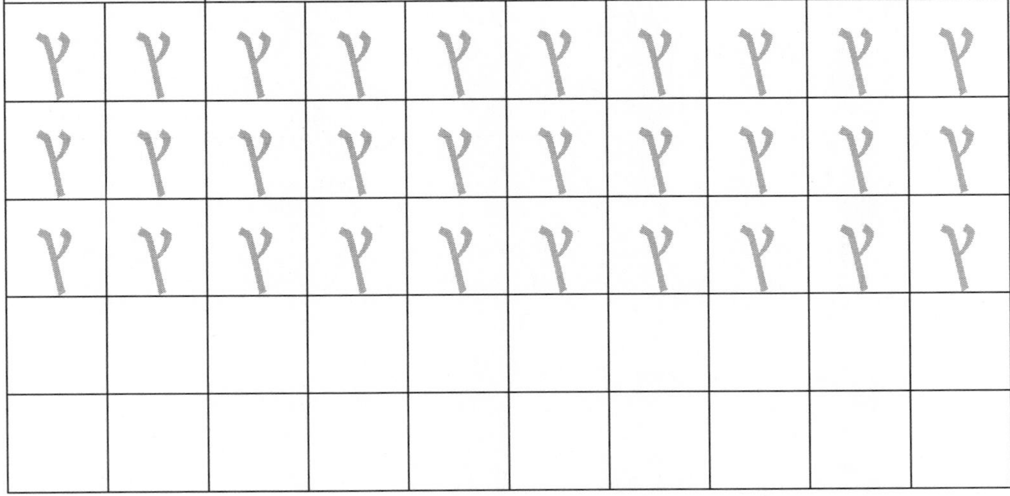

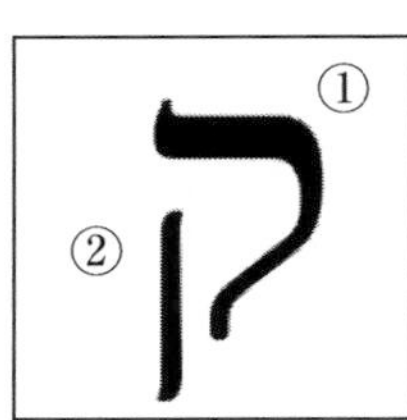

코프 [*Qof*]   *q*나 강한 *k*의 발음이며, 숫자 100을 의미합니다.

영어 대문자 P와 비슷한 모양입니다.

←

ק	ק	ק	ק	ק	ק	ק	ק	ק	ק
ק	ק	ק	ק	ק	ק	ק	ק	ק	ק
ק	ק	ק	ק	ק	ק	ק	ק	ק	ק

레쉬 [*Resh*]   *r* 발음이며, 숫자 200을 의미합니다.

ב베트에서 밑줄만 없다고 생각하시면 됩니다.

←

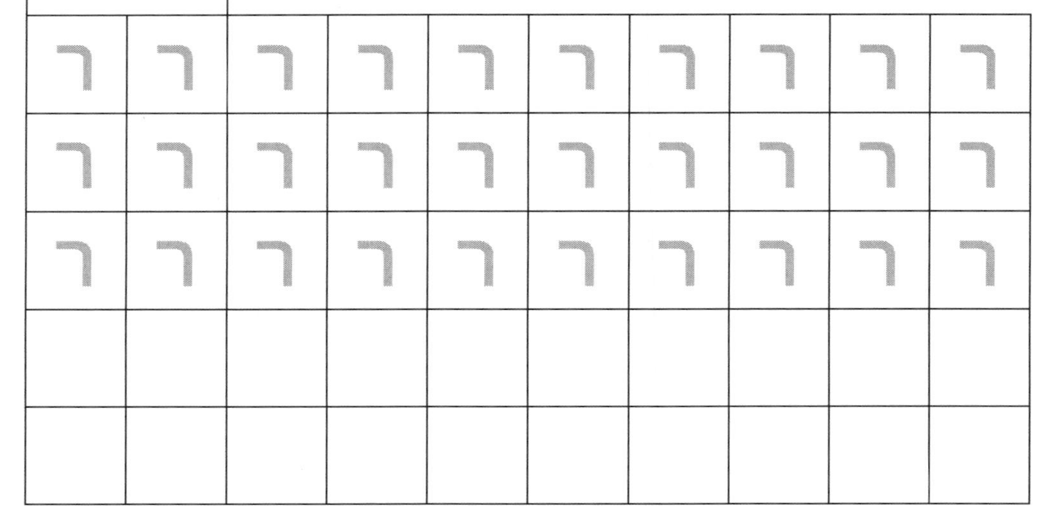

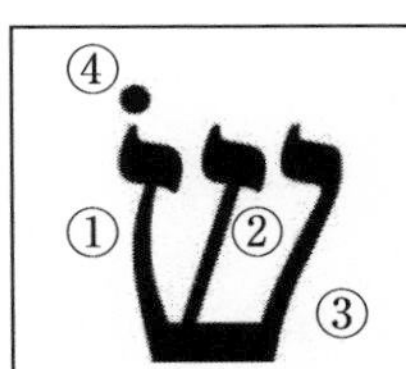

신 [*Sin*] s 발음이며, 숫자 300을 의미합니다.

왼쪽부터 세로줄을 차례로 그린 뒤 마지막으로 점을 찍어줍니다.
왼쪽 신발~ 오른쪽 쉰밥! ←

שׂ	שׂ	שׂ	שׂ	שׂ	שׂ	שׂ	שׂ	שׂ	שׂ
שׂ	שׂ	שׂ	שׂ	שׂ	שׂ	שׂ	שׂ	שׂ	שׂ
שׂ	שׂ	שׂ	שׂ	שׂ	שׂ	שׂ	שׂ	שׂ	שׂ

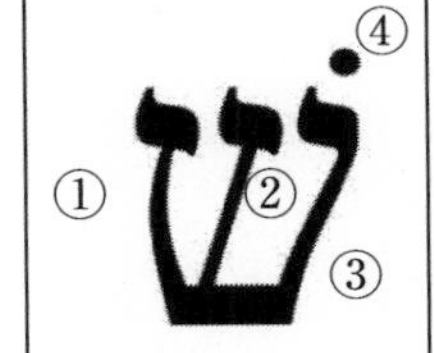

쉰 [*Shin*] *sh* 발음이며, שׂ신과 마찬가지로 숫자 300을 의미합니다.

오른쪽에 점이 있을 뿐, 쓰는 순서 역시 שׂ신과 같습니다.
왼쪽 신발~ 오른쪽 쉰밥! ←

שׁ	שׁ	שׁ	שׁ	שׁ	שׁ	שׁ	שׁ	שׁ	שׁ
שׁ	שׁ	שׁ	שׁ	שׁ	שׁ	שׁ	שׁ	שׁ	שׁ
שׁ	שׁ	שׁ	שׁ	שׁ	שׁ	שׁ	שׁ	שׁ	שׁ

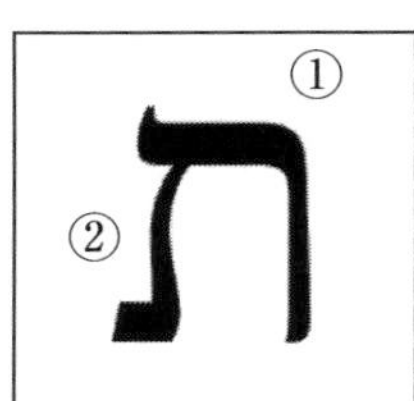

타브 [*Tav*] *t* 혹은 *th* 발음이며, 숫자 400을 의미합니다.

ה헤나 ח헤트와 비슷하지만, 마지막 세로선이 물결모양으로 구부러집니다.
마지막 글자도 입으로 따라하며, 오른쪽에서 왼쪽으로! ←

ת	ת	ת	ת	ת	ת	ת	ת	ת	ת
ת	ת	ת	ת	ת	ת	ת	ת	ת	ת
ת	ת	ת	ת	ת	ת	ת	ת	ת	ת

벌써 넷째날 과제를 끝내셨습니다. 이제 머릿속에서 히브리어 알파벳들이 슬슬 돌아다니기 시작할 겁니다. 오늘 과제를 잘 마치셨으니, 히브리어 알파벳 송을 열 번만 듣고 머리를 식히세요. 수고하셨습니다.

위 QR코드를 스마트폰으로 촬영하시면
히브리어 알파벳송 영상을 보실 수 있습니다.

넷째날 과제를 잘 마무리했다면, 날짜를 적어 보세요.

과제완료일 : 20 년 월 일

4 주완성 왕초보 히브리어 성경읽기

5th Day

다섯째날

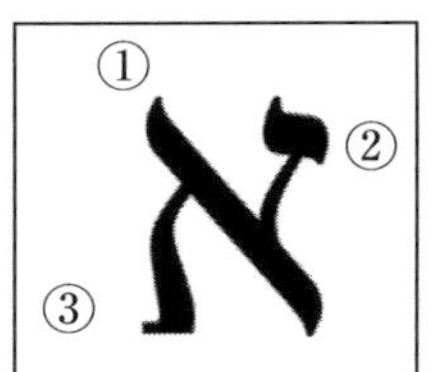

알렙 [*Alef*] 알렙은 발음상 묵음이며, 숫자 1을 의미합니다.

사선을 먼저 그은 뒤에 우측 뿔을 그리고 좌측 뿔을 내리면 됩니다.
읽으면서 쓰고, 읽으면서 쓰고, 읽으면서 쓰고… ←

א	א	א	א	א	א	א	א	א	א

베트 [*Bet*] *b* 혹은 *bh* 발음이며, 숫자 2를 의미합니다.

길고 둥글게 ㄱ자 모양을 그린 후, 가로 선을 그으면 됩니다.
이젠 정말 아무 말 않겠습니다. 오른쪽에서 왼쪽으로! ←

ב	ב	ב	ב	ב	ב	ב	ב	ב	ב

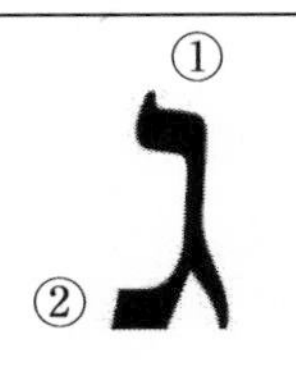

기믈 [*Gimel*] *g* 혹은 *gh* 발음이며, 숫자 3을 의미합니다.

상대적으로 넓이가 좁습니다. 오른쪽으로 내리고 왼쪽 꼬리를 그립니다.

ג	ג	ג	ג	ג	ג	ג	ג	ג	ג

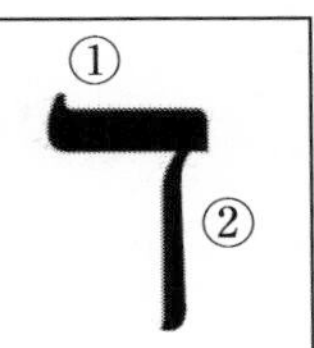

달렛 [*Dalet*] *d* 혹은 *dh* 발음이며, 숫자 4를 의미합니다.

가로로 긋고, 각을 주어 아래로 내립니다..

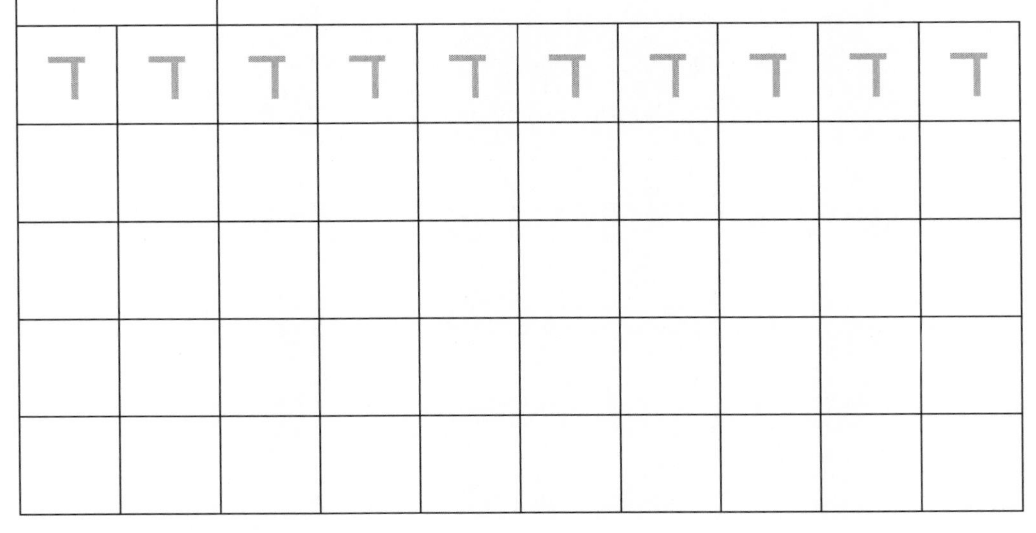

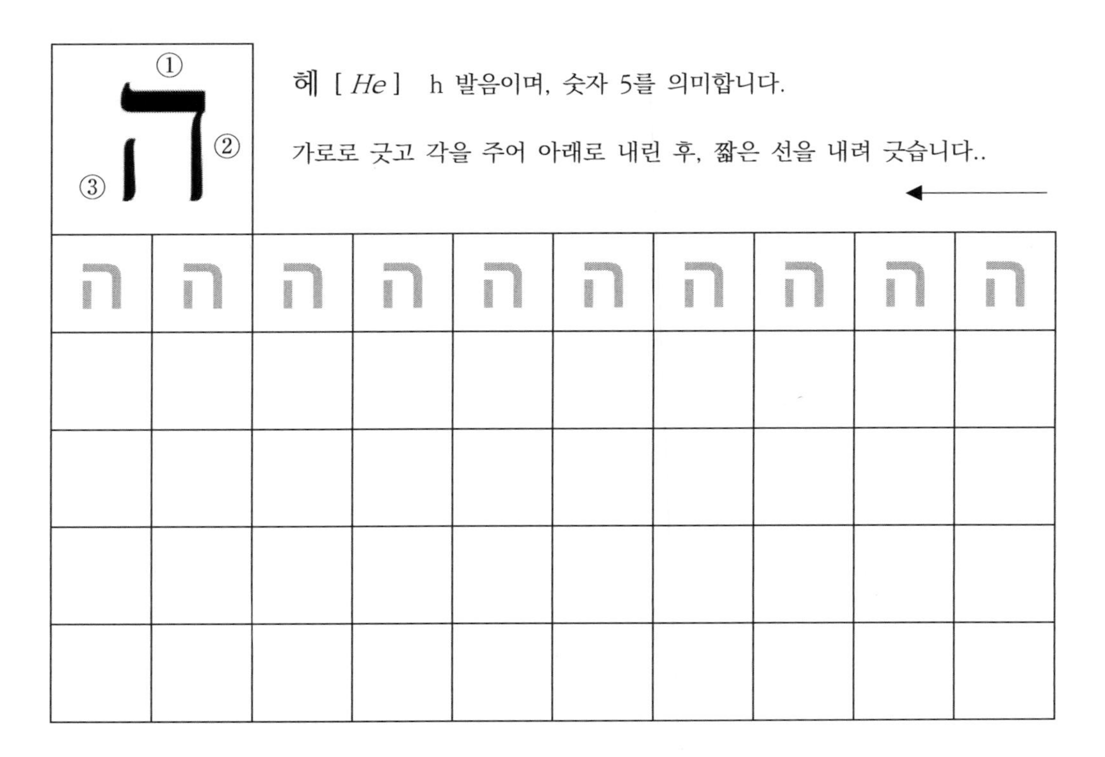

헤 [*He*] h 발음이며, 숫자 5를 의미합니다.

가로로 긋고 각을 주어 아래로 내린 후, 짧은 선을 내려 긋습니다..

바브 [*Vav*] *v* 발음이며, 숫자 6을 의미합니다.

상대적으로 좁은 글자입니다.

자인 [*Zayin*] 영어의 *z* 발음이며, 숫자 7을 의미합니다.

상대적으로 좁은 글자입니다.

①
③ ②

헤트 [*Chet*] *h*, '크'에 가까운 'ㅎ' 발음이며, 숫자 8을 의미합니다.

ה와 비슷하나 왼쪽 세로줄이 깁니다.

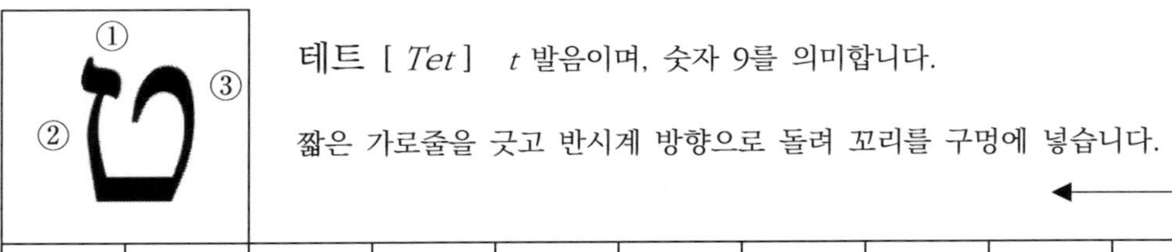

테트 [*Tet*] *t* 발음이며, 숫자 9를 의미합니다.

짧은 가로줄을 긋고 반시계 방향으로 돌려 꼬리를 구멍에 넣습니다.

←

ט	ט	ט	ט	ט	ט	ט	ט	ט	ט

①
י

요드 [*Yod*] 영어의 *y* 발음이며, 숫자 10을 의미합니다.

히브리어 알파벳 중에 가장 작은 글자입니다.

←

י	י	י	י	י	י	י	י	י	י

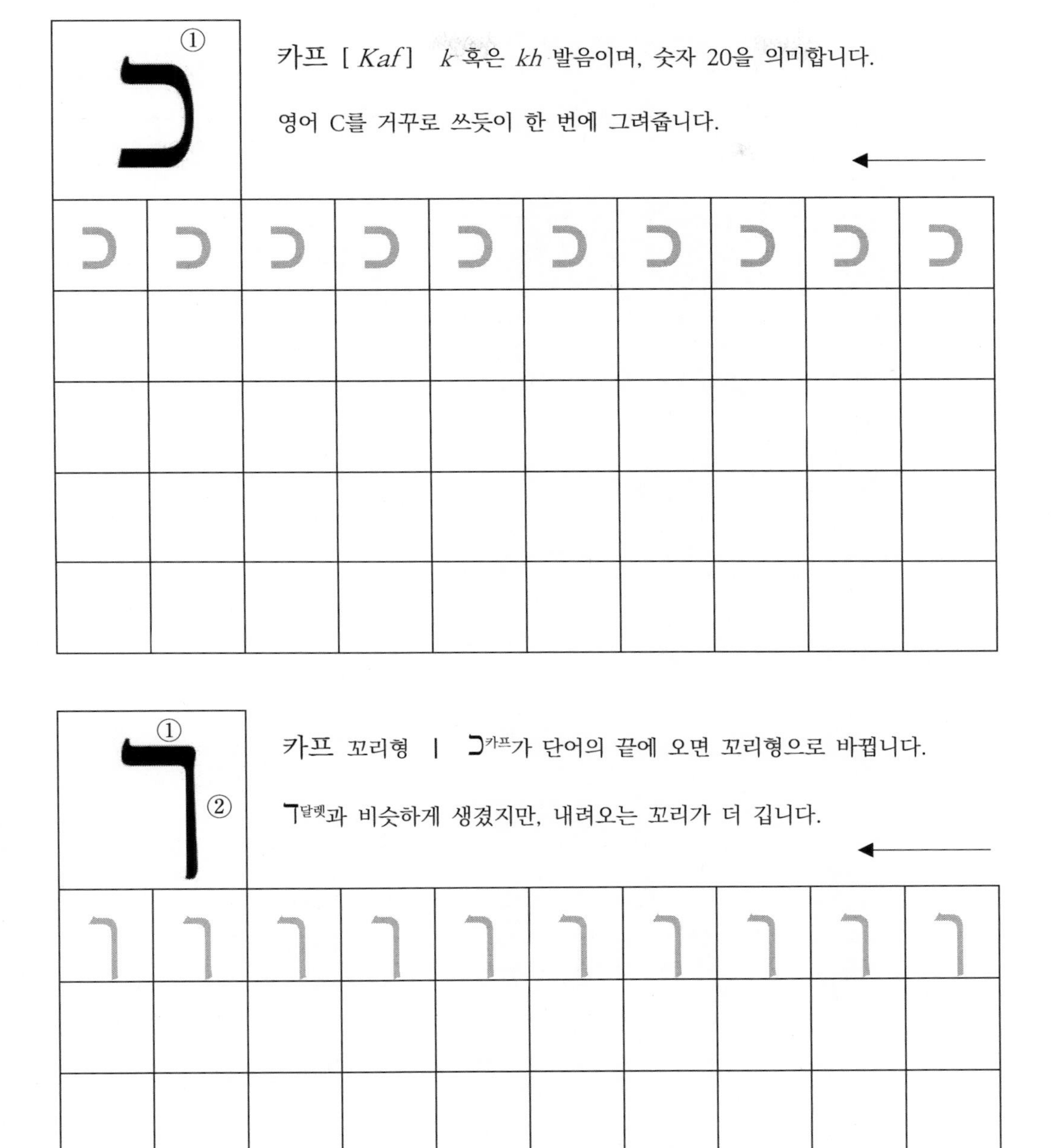

카프 [*Kaf*] *k* 혹은 *kh* 발음이며, 숫자 20을 의미합니다.

영어 C를 거꾸로 쓰듯이 한 번에 그려줍니다.

카프 꼬리형 | כ[카프]가 단어의 끝에 오면 꼬리형으로 바뀝니다.

ד[달렛]과 비슷하게 생겼지만, 내려오는 꼬리가 더 깁니다.

히브리어 알파벳 글자들 중 כ카프처럼 꼬리형이 있는 글자는 다섯 개가 있습니다. 히브리어 알파벳 꼬리형에 대해 기억 나시죠?

기본형	כ	מ	נ	פ	צ
꼬리형	ך	ם	ן	ף	ץ

이 다섯 글자 역시 굳이 외우실 필요 없습니다. 그냥 "이런 글자들이 있구나" 정도로만 여기고 지나가시면 됩니다. ך카프 꼬리형의 경우, 모음이 붙어서 모양이 달라지는 경우도 있지만, 지금 외우실 필요는 전혀 없습니다. 눈으로만 주욱 훑어보고 넘어가시면 됩니다.

ל ① ②

라메드 [*Lamed*] '을' 발음이며, 숫자30을 의미합니다.

←

ל	ל	ל	ל	ל	ל	ל	ל	ל	ל

מ ② ① ③

멤 [*Mem*] *m* 발음이며, 숫자 40을 의미합니다.

한글 ㅁ미음을 그리듯 세로선을 먼저 내리고 그려나갑니다.

מ	מ	מ	מ	מ	מ	מ	מ	מ	מ

ם

멤 꼬리형 | מ멤이 단어의 끝에 오면 꼬리형으로 바뀝니다.

어느 방향으로든 네모를 그리면 됩니다.

ם	ם	ם	ם	ם	ם	ם	ם	ם	ם

נ ① ② ③	눈 [*Nun*] *n* 발음이며, 숫자 50을 의미합니다. ו바브나 ז자인처럼 상대적으로 좁은 글자입니다. 오른쪽에서 왼쪽으로 써나가고 계시죠? ←

נ	נ	נ	נ	נ	נ	נ	נ	נ	נ

ן ① ②	눈 꼬리형 | נ눈이 단어의 끝에 오면 꼬리형으로 바뀝니다. ך카프 꼬리형과 비슷하게 생겼지만, 가로선 길이가 짧습니다. ←

ן	ן	ן	ן	ן	ן	ן	ן	ן	ן

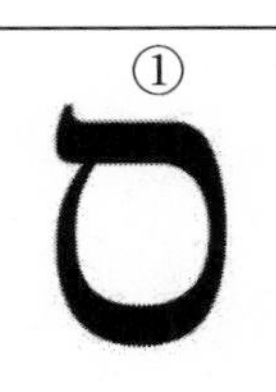

싸멕 [*Samech*] *s* 발음이며, 숫자 60을 의미합니다.

시작점에서 둥글게 한 번에 그리면 됩니다.

←

ס	ס	ס	ס	ס	ס	ס	ס	ס	ס

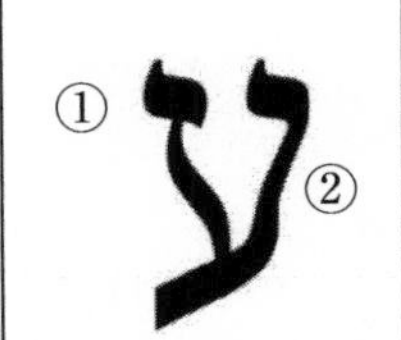

아인 [*Ayin*] א알렙처럼 발음이 없는 묵음이며, 숫자 70을 의미

영문자 y를 쓰듯이 그리면 됩니다.

←

ע	ע	ע	ע	ע	ע	ע	ע	ע	ע

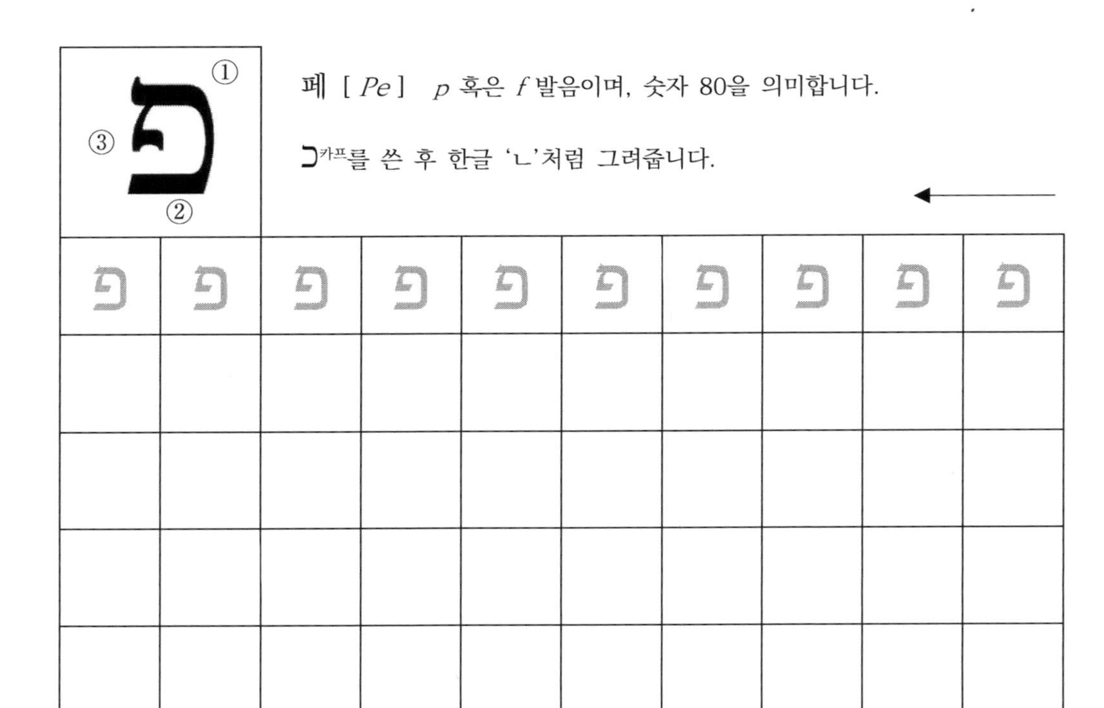

①

②

ף

페 꼬리형 | פ페가 단어의 끝에 오면 꼬리형으로 바뀝니다.

꼬리형이기 때문에 길게 내려줍니다.

ף	ף	ף	ף	ף	ף	ף	ף	ף	ף

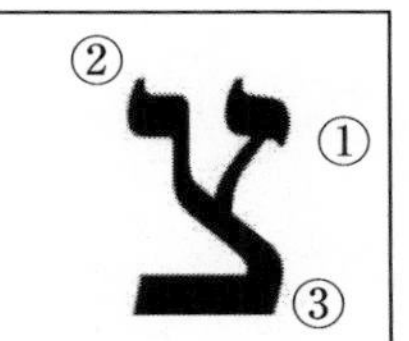

차디 [*Tsadi*] 'ㅊ' 혹은 'ㅉ' 발음이며, 숫자 90을 의미합니다.

오른쪽 뿔을 먼저 그린 후 좌상단에서 내려오며 단번에 그립니다.

←

צ	צ	צ	צ	צ	צ	צ	צ	צ	צ

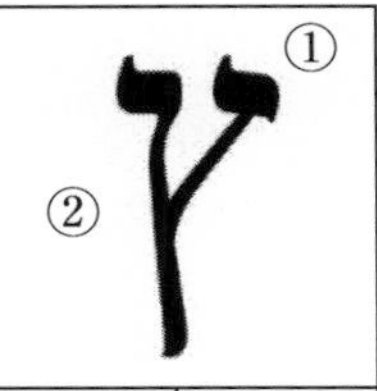

차디 꼬리형 | צ차디가 단어의 끝에 오면 꼬리형으로 바뀝니다.

오른쪽 뿔을 먼저 그린 후 세로선을 내려줍니다.

←

ץ	ץ	ץ	ץ	ץ	ץ	ץ	ץ	ץ	ץ

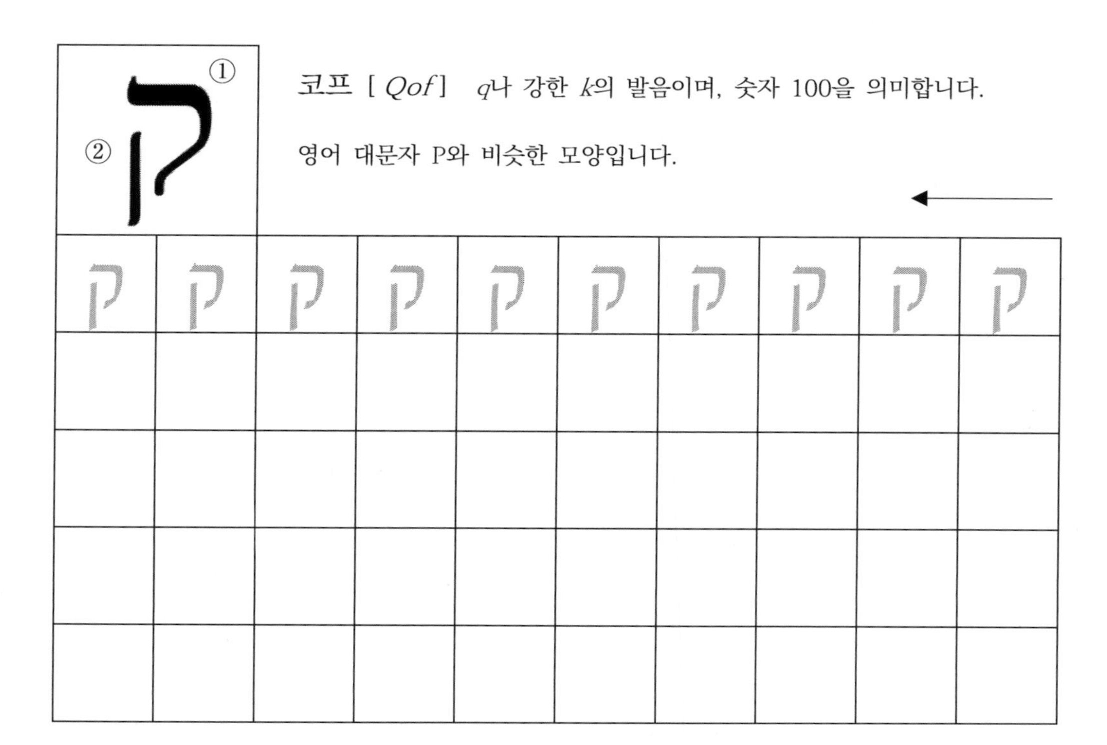

코프 [*Qof*] *q*나 강한 *k*의 발음이며, 숫자 100을 의미합니다.

영어 대문자 P와 비슷한 모양입니다.

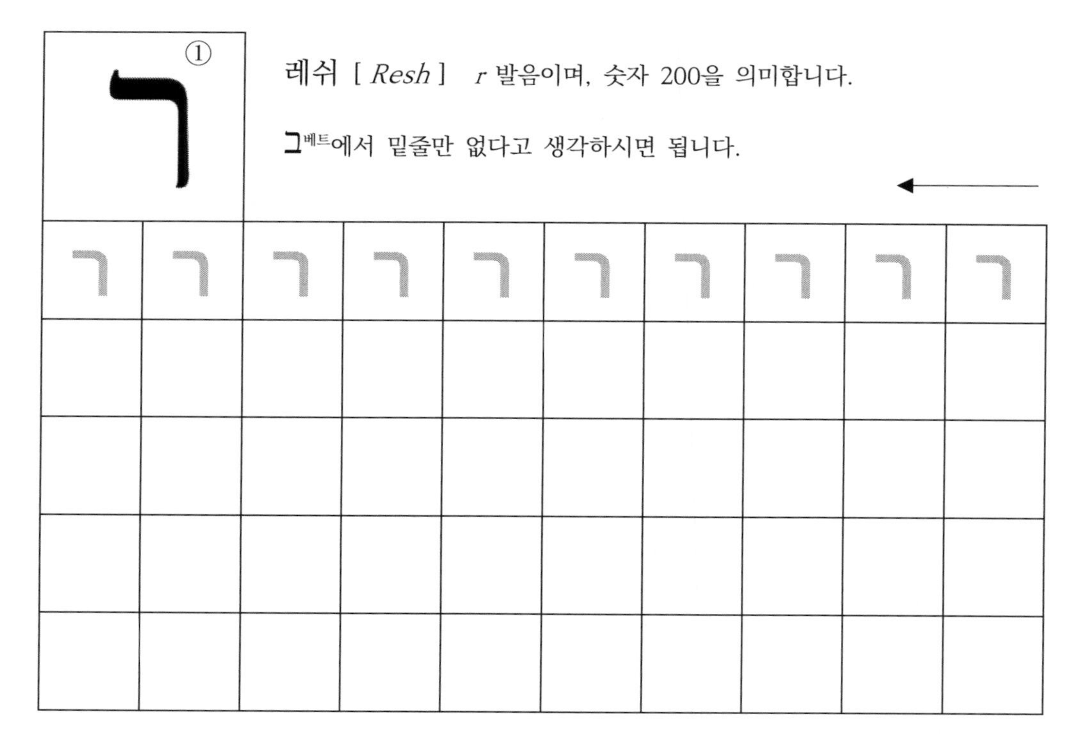

레쉬 [*Resh*] *r* 발음이며, 숫자 200을 의미합니다.

ב[베트]에서 밑줄만 없다고 생각하시면 됩니다.

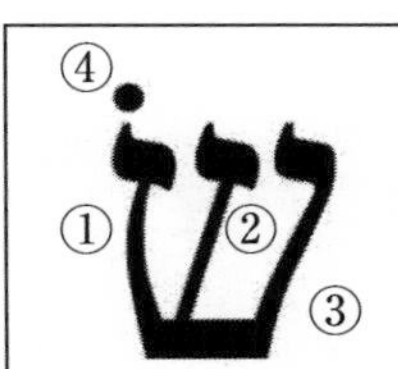

신 [*Sin*] s 발음이며, 숫자 300을 의미합니다.

왼쪽부터 세로줄을 차례로 그린 뒤 마지막으로 점을 찍어줍니다.
왼쪽 신발~ 오른쪽 쉰밥! ←

שׂ	שׂ	שׂ	שׂ	שׂ	שׂ	שׂ	שׂ	שׂ	שׂ

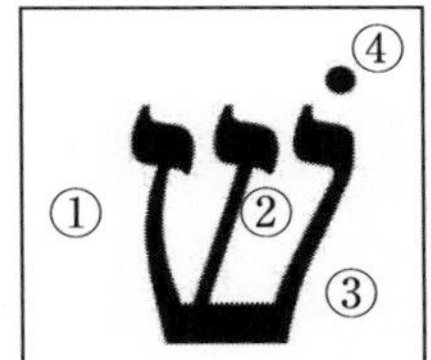

쉰 [*Shin*] *sh* 발음이며, שׂ신과 마찬가지로 숫자 300을 의미합니다.

오른쪽에 점이 있을 뿐, 쓰는 순서 역시 שׂ신과 같습니다.
왼쪽 신발~ 오른쪽 쉰밥! ←

שׁ	שׁ	שׁ	שׁ	שׁ	שׁ	שׁ	שׁ	שׁ	שׁ

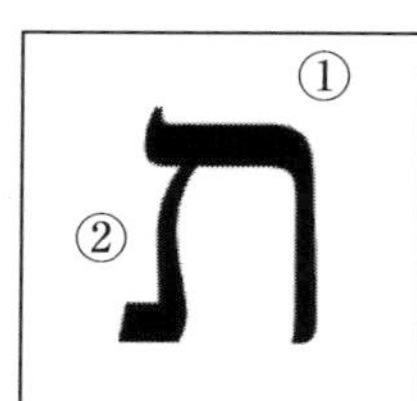

타브 [*Tav*] *t* 혹은 *th* 발음이며, 숫자 400을 의미합니다.

ה헤나 ח헤트와 비슷하지만, 마지막 세로선이 물결모양으로 구부러집니다.
마지막 글자도 입으로 따라하며, 오른쪽에서 왼쪽으로! ←

ת	ת	ת	ת	ת	ת	ת	ת	ת	ת

여러분은 꼬리형을 포함한 히브리어 알파벳을 5일 동안 읽고 써보았습니다. 징글징글하진 않으신가요? 오늘 과제를 잘 마치셨으니, 히브리어 알파벳 송을 열 번만 듣고 머리를 식히세요. 잘 따라오시느라 수고하셨습니다.

위 QR코드를 스마트폰으로 촬영하시면
히브리어 알파벳송 영상을 보실 수 있습니다.

다섯째날 과제를 잘 마무리했다면, 날짜를 적어 보세요.

과제완료일 : 20 년 월 일

4 주완성 왕초보 히브리어 성경읽기

6th Day

여섯째날

수현북스

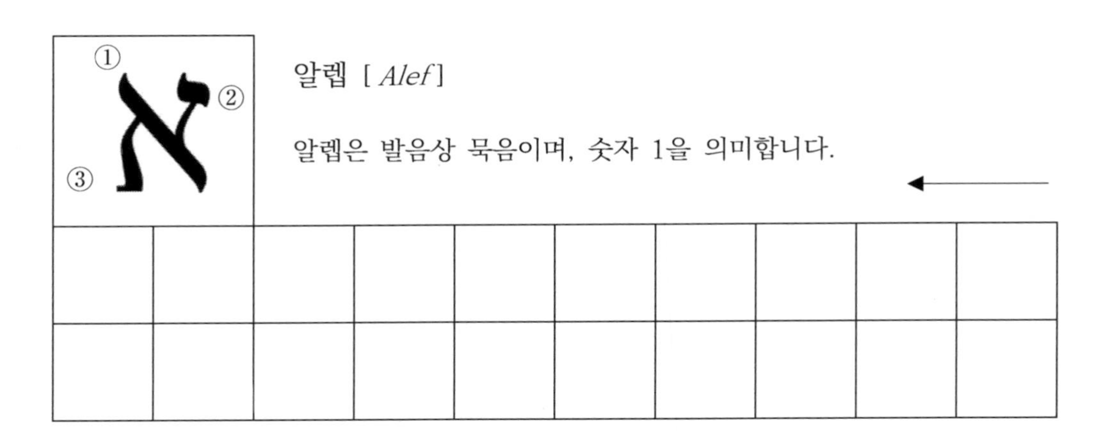

알렙 [*Alef*]

알렙은 발음상 묵음이며, 숫자 1을 의미합니다.

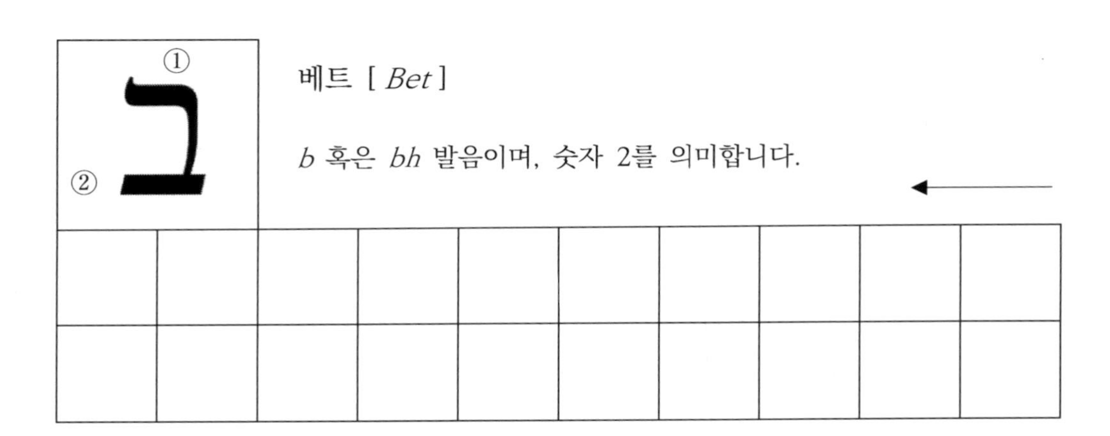

베트 [*Bet*]

b 혹은 *bh* 발음이며, 숫자 2를 의미합니다.

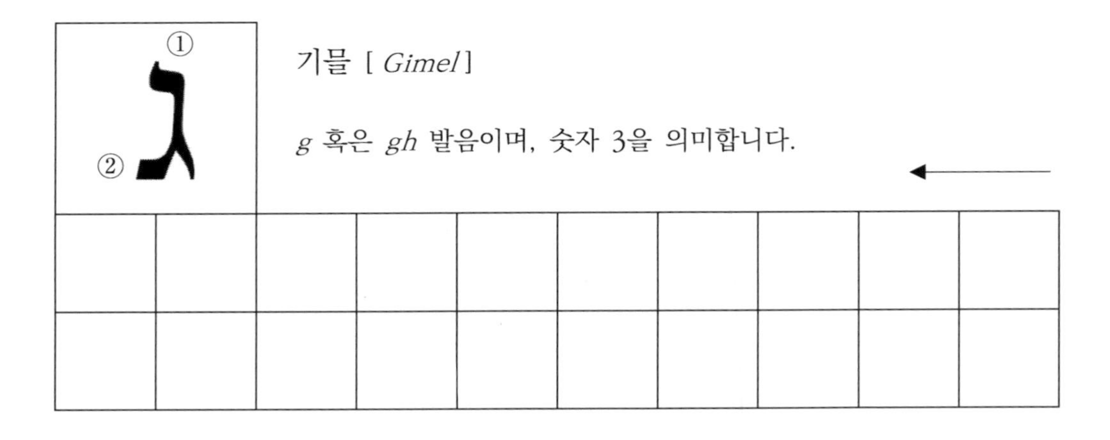

기믈 [*Gimel*]

g 혹은 *gh* 발음이며, 숫자 3을 의미합니다.

ד ① ②

달렛 [*Dalet*]

d 혹은 *dh* 발음이며, 숫자 4를 의미합니다.

ה ① ② ③

헤 [*He*]

h 발음이며, 숫자 5를 의미합니다.

ו ①

바브 [*Vav*]

v 발음이며, 숫자 6을 의미합니다.

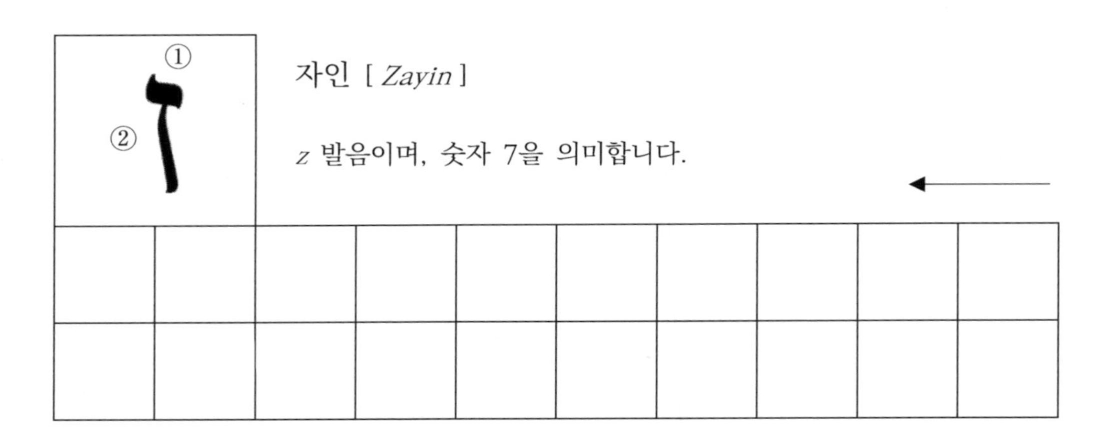
①
②
자인 [*Zayin*]
z 발음이며, 숫자 7을 의미합니다.

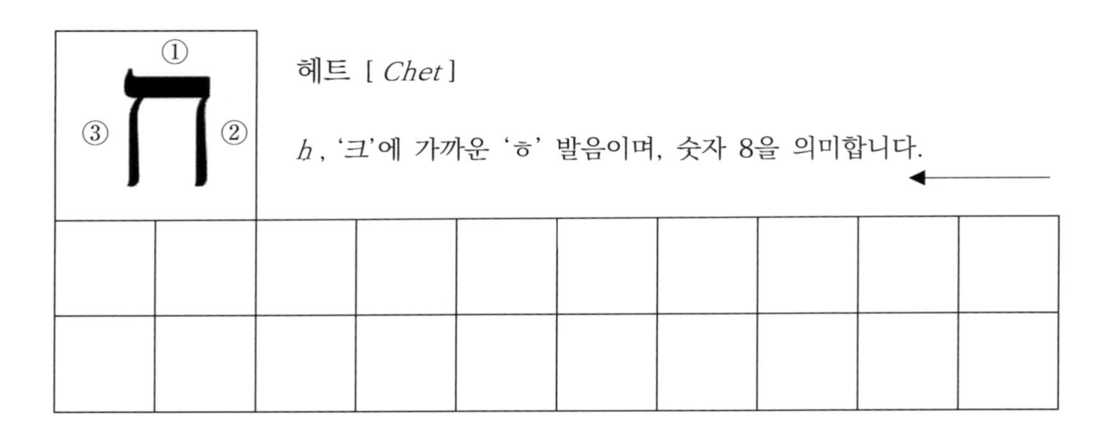
①
③
②
헤트 [*Chet*]
ḥ, '크'에 가까운 'ㅎ' 발음이며, 숫자 8을 의미합니다.

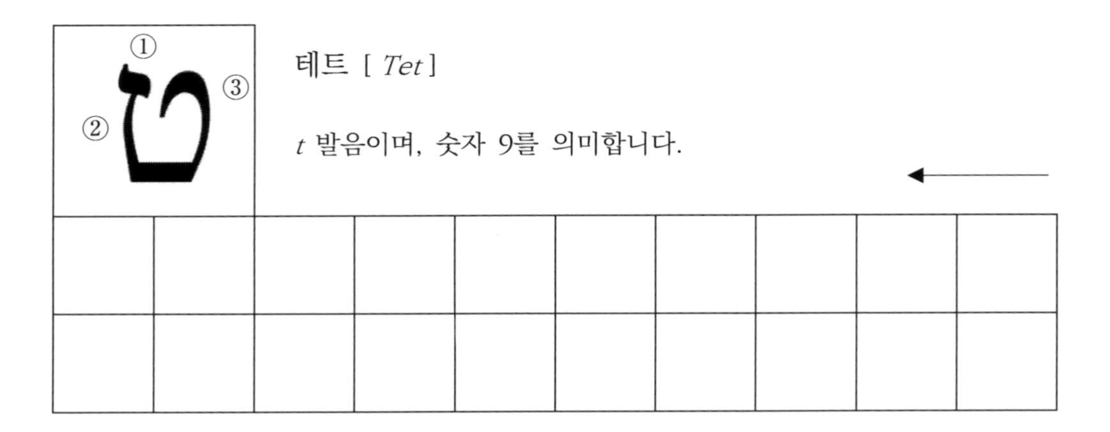
①
③
②
테트 [*Tet*]
t 발음이며, 숫자 9를 의미합니다.

י ①

요드 [*Yod*]

y 기능이며, 숫자 10을 의미합니다.

←

כ ①

카프 [*Kaf*]

k 혹은 *kh* 발음이며, 숫자 20을 의미합니다.

←

ך ① ②

카프 꼬리형

כ카프가 단어의 끝에 오면 꼬리형으로 바뀝니다.

←

ל ① ②

라메드 [*Lamed*]

'을' 발음이며, 숫자30을 의미합니다.

מ ① ② ③

멤 [*Mem*]

m 발음이며, 숫자 40을 의미합니다.

ם

멤 꼬리형

מ멤이 단어의 끝에 오면 꼬리형으로 바뀝니다.

נ ① ② ③

눈 [*Nun*]

n 발음이며, 숫자 50을 의미합니다.

ן ① ②

눈 꼬리형

נ눈이 단어의 끝에 오면 꼬리형으로 바뀝니다.

ס ①

싸멕 [*Samech*]

s 발음이며, 숫자 60을 의미합니다.

ע

아인 [*Ayin*]

א알렙처럼 발음이 없는 묵음이며, 숫자 70을 의미합니다.

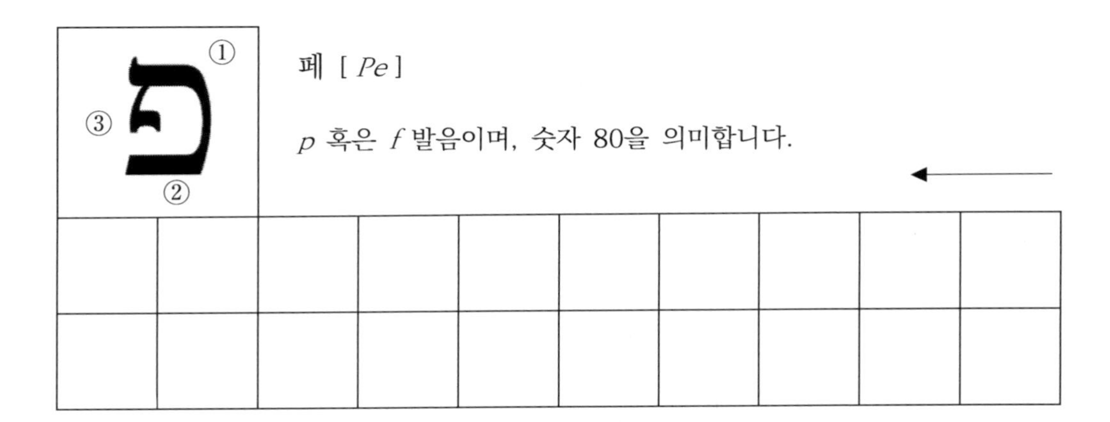

פ

페 [*Pe*]

p 혹은 *f* 발음이며, 숫자 80을 의미합니다.

ף

페 꼬리형

פ페가 단어의 끝에 오면 꼬리형으로 바뀝니다.

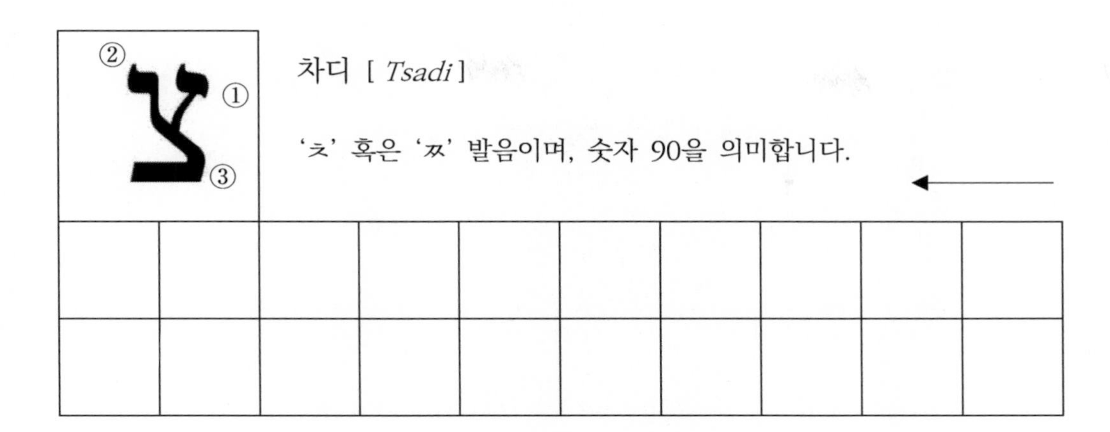

차디 [*Tsadi*]

'ㅊ' 혹은 'ㅉ' 발음이며, 숫자 90을 의미합니다.

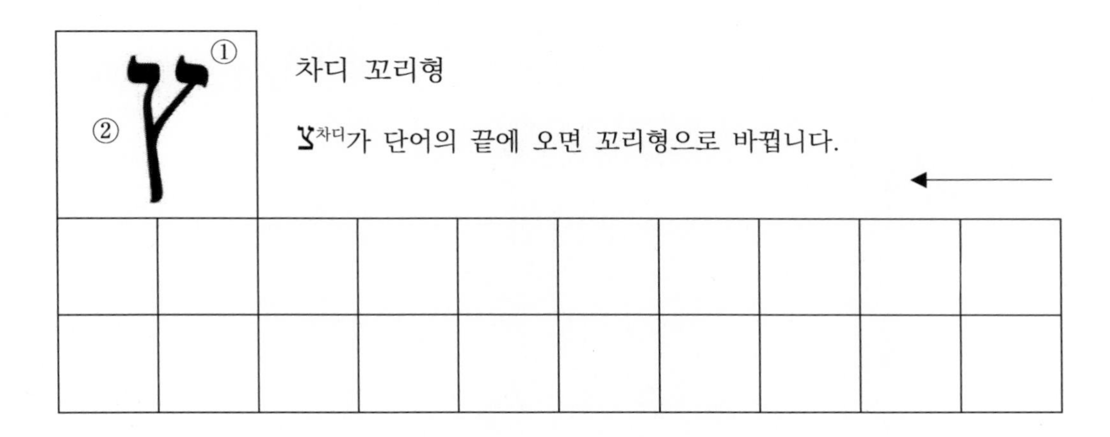

차디 꼬리형

צ[차디]가 단어의 끝에 오면 꼬리형으로 바뀝니다.

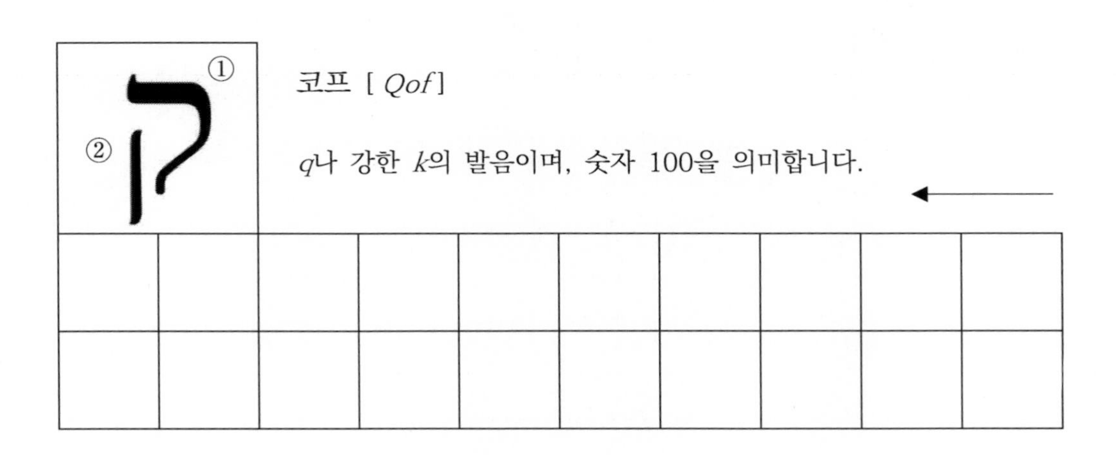

코프 [*Qof*]

*q*나 강한 *k*의 발음이며, 숫자 100을 의미합니다.

ר ①

레쉬 [*Resh*]

r 발음이며, 숫자 200을 의미합니다.

שׂ ①②③④

신 [*Sin*]

s 발음이며, 숫자 300을 의미합니다.
왼쪽 신발~ 오른쪽 쉰밥!

שׁ ①②③④

쉰 [*Shin*]

sh 발음이며, שׂ신과 마찬가지로 숫자 300을 의미합니다.
왼쪽 신발~ 오른쪽 쉰밥!

타브 [*Tav*]

t 혹은 *th* 발음이며, 숫자 400을 의미합니다.

←

여섯째날 과제까지 잘 마치셨습니다. 이제 한 주의 과제를 모두 마무리하셨습니다. 열심히 따라오신 분들은 히브리어 알파벳이 확실히 더 익숙해졌다고 느끼실 겁니다. 한 주의 과제를 잘 마치셨으니, 오늘도 변함없이 히브리어 알파벳 송을 열 번만 듣고 머리를 식히세요. 잘 따라오시느라 수고하셨습니다.

위 QR코드를 스마트폰으로 촬영하시면
히브리어 알파벳송 영상을 보실 수 있습니다.

여섯째날 과제를 잘 마무리했다면, 날짜를 적어 보세요.

과제완료일 : 20 년 월 일

וַיְכַל אֱלֹהִים בַּיּוֹם הַשְּׁבִיעִי מְלַאכְתּוֹ אֲשֶׁר עָשָׂה
וַיִּשְׁבֹּת בַּיּוֹם הַשְּׁבִיעִי מִכָּל־מְלַאכְתּוֹ אֲשֶׁר עָשָׂה׃

하나님의 지으시던 일이 일곱째 날이 이를 때에 마치니
그 지으시던 일이 다하므로 일곱째 날에 안식하시니라

창세기 2:2

히브리어 알파벳 표

형 태	이 름	꼬리형	형 태	이 름	꼬리형
א	알렙		מ	멤	ם
ב	베트		נ	눈	ן
ג	기믈		ס	싸멕	
ד	달렛		ע	아인	
ה	헤		פ	페	ף
ו	바브		צ	차디	ץ
ז	자인		ק	코프	
ח	헤트		ר	레쉬	
ט	테트		שׂ	신	
י	요드		שׁ	쉰	
כ	카프	ך	ת	타브	
ל	라메드				

히브리어 알파벳송

2주차 교재로 이어집니다.

감사합니다.

이학재 저

כתב Project 원어성경쓰기

케타브 프로젝트 쓰기성경 시리즈

히브리어와 헬라어로 성경을 필사해 보세요.

룻기 잠언 에스더 다니엘 일곱권의 소선지서 (요나, 요엘, 학개, 말라기, 오바댜, 하박국, 스바냐)

시편 1 시편 2 시편 3 시편 4 시편 5

갈라디아서 에베소서 빌립보서 골로새서 요한서신들(요한 일, 이, 삼서)과 유다서

"어려운 것이 아니라

익숙하지 않은 것이다!"

세상에 어려운 것은 없습니다.

다만 익숙하지 않을 뿐입니다.

이번이 마지막 기회입니다.

지금 바로 펜을 들고 시작하세요!

값13000원
04230
9 791198 832023
ISBN 979-11-988320-2-3
ISBN 979-11-988320-1-6 (세트)